お金をちゃんと考えることから逃げまわっていたぼくらへ

糸井重里／邱 永漢

PHP文庫

○本表紙図柄＝ロゼッタ・ストーン（大英博物館蔵）
○本表紙デザイン＋紋章＝上田晃郷

糸井重里より、はじめに。

どんな人でも、得意なことや不得意なことを、持っているでしょう?

「俺はアレをするのが得意だ」「私はこれをできる」……。

その得意なこと「だけ」を仕事にしていればいいという時代が、かつてはあったと思います。持ち場の仕事を丁寧に一生懸命やってさえいれば、うまくいった時代。

でも、自分の仕事をきちんとやるためには、他の人と組んで何かをする仕組みをつくらないと、本当の意味での完成にはとどかせることのできない時期になってきたように思います。

逆にいえば、他の人とうまく組んでいく仕組みをつくらないと、いつのまにか自分の仕事がなくなってしまいかねない、そういう時代なのでしょう。

いつのまにか、ほとんどの人が、その時代にさらされている。

会社員の人も、職人さんも、もちろん商売をしている人も。

努力をして、コツコツやっていれば絶対に大丈夫、なんていうものがなくなってきて、「じゃあ、どうすればいいんだろう?」と、いろいろな人が少しずつ模索をはじめている時期だとぼくは思います。

そのことと、今回の対談をひきうけたいと思ったことは、重なってくるんです。

「今までのやりかただと、ダメかもしれない。でもそこで、人間やものごとを流通させて循環させて活性化させるには、いったいどうしたらいいのだろう?」

そこでまず、次の方法への模索として、いろいろな人が飛びついたのは、いわゆるマーケティング的な理論でした。アメリカですでに研究されたマーケティングの考え方を日本流にアレンジしようという動きが、今でもあちこちで見られるように。

それさえすれば新しい時代についていけると思った人たちが、いつもの通りに、先に悩みを抱えたアメリカに、範を求めました。株式上場をすることやMBAをとることや外資系の企業に行くようなことが、ここ数年はかなり流行しているように。

この流行は「ひとりで自分を磨いていけばいい」という原則がなくなって、別の方法をみんなが探している途中に見られる現象で、ぼくとしては、あくまで過渡期のものだと思っています。

つまり、アメリカの企業のやりかたを真似することは、ゴールではない。

アメリカだって、まだ悩んでいる。

MBAをとることや外資系企業に就職することで自分の不安を解消するかのような流行がだいぶ続いたけれども、その流行が一段落しそうになっている今、

「俺はこんなに勉強したのに、何でうまくいかないんだろう?」

そう思っている人も、多いのではないでしょうか。

ある指標やある組織に自分を依存させて生きていくだけでは、もはやうまくいかないのかもしれない。それを、カラダで実感できる時期になってきていると思います。

マーケティング的な方法は、「うまくいかないとしたら、これが足りないからですよ」と、あらゆる角度から教えてくれているように見えるんだけど……。

ところがそれは、まるで「理論のクスリ漬け」のようなものだと思います。

「このクスリが効かなかったら、これを使うといいです」

「新しいクスリができました。今度こそよくなりますよ」

クスリ漬けの生活の中で、「そのときどきにいちばん効くらしいクスリ」を手に入れて、ほんの短い時間だけ「うまくいっている」と感じていても、気持ちが悪い。

ただ、目先の情報に振りまわされるだけだから。

以前、ある婦人雑誌の「お金について考える」という座談会で、邱永漢さんをゲストにお招きしたら、ものすごく面白かったんです。奥深いところをきちんと考えながら、今までの長い時代を、そのつど自力で泳いできた人のように思えました。

「お金をどう得ようかと考える人はいくらでもいます。ところが、お金と一口にいっても、入ってくるお金と使うお金とがあります。

それが両方あわさって球面体のようになっているのだから、入るお金と使うお金がまるくおさまっていないと、お金ではないんです」

そのときの邱さんは、そんなことをおっしゃっていました。

秀才的な勉強家だったら、

「何をまどろっこしいことをいってるんだ。俺は稼ぎかただけを学びたいんだ」

というかもしれない。でも、ぼくは、その球面体としてのお金という考え方を聞いて、かなりびっくりしたんですよ。

その後何かとお会いするたびに、邱さんは、奥ゆきがありながらも具体的な話をしてくれました。

「人間はいつからこういうことを考えているので、こうです」

「人間はこういう動物だから、ぼくはこういうように考える」

「社会の仕組みはこうなっているから、結論はこうだと思う」

邱さんのしゃべる内容は、思考の筋道や社会の仕組みの発生するところから考えられたものでありながらも、実際に通用する話になっていました。ぼくはそこに、とても感心させられたんです。

徹底的に時間をかけて、邱さんにいろいろなことを聞いてみたくもなっていました。だから、「邱永漢さんと対談をしてみませんか?」と編集者の方からお誘いを受けたときに、「ぜひ」とお応えしたんだと思います。

テーマは、お金のことを「とっかかり」にしました。

邱さんは「お金の神様」といわれているわけだけど、この「お金」って、あらゆるパワーを代表するいちばんの魔物だとされながら、いまだにどうとらえていいか、多くの人にはわからないものになっているでしょう？

けれども、今は、ぼくも含めて、「職人としての腕だけを磨くぞ」と、お金について考えることから逃げまわっていた人たちですらも、お金についてまじめに考えたいと思いはじめている時期なんです。

それならば、お金のことを軸に、邱さんが今まで素手でつかんできた考えかたをゆっくりと聞いていけば、いろいろな人の聞きたい話になるのではないだろうか。それはぼくも聞きたいことだし……。

振りかえってみれば、そんなことを考えながら対談に臨んでいたような気がします。

今までお金から逃げまわってきた人にこそ、ぜひ読んでもらいたいと思います。

糸井重里

お金をちゃんと考えることから逃げまわっていたぼくらへ　目次

糸井重里より、はじめに。

第1章 お金について、どう考えはじめればいいのですか?

第2章 事業・株式上場・給料生活・インターネット

第3章 人間・邱永漢が知りたくなります

第4章

人生というゲームを生きるために

第5章 人の気持ちがわかれば、商売のヒントもわかります

第6章

自分のセンスと、お金を容れる器

第7章

未来のことを経験している人は、誰もいないけど

お金は欲しい。お金は怖い。お金はない。
お金は大事だ……。
それしか、お金について考えてこなかったということは、
いつまでたっても、お金がわからないまま、
お金に振りまわされて生きるってことになりかねない。
ぼくは、ここで、お金のことを、
ちゃんと考えようと思って、邱永漢さんと話をした。

第1章

お金について、どう考えはじめればいいのですか？

イ お金は怖いものでした

ぼくは相変わらず、お金に不自由なままで暮らしていますが、やっぱりそれは、**今まで、お金について考えることから逃げまわっていた、**ということも関係するんじゃないかと思うんです。

なんでお金について考えてこなかったのかと自己分析をしてみると、たぶん、それは……**怖かったんじゃないかなあ。**

お金について考えるのも、それはそれで大仕事だから、それをしていると、ぼくの持っている力のほとんどを吸いとられてしまいそうで。

だから、怖かったのかもしれないです。

それに今まで、お金にひきずられて生きている人を、たくさん見てきました。「ああは、なりたくないなあ」という思いを、自分の防衛本能のように、いつも体の一部には持っていたわけです。

でも、よくも悪くも、そこでぼくは、お金から少し離れちゃった。お金に対してナナメを向いているぐらいならまだよかったんだけど、ぼくの場合は、もうほとんど完全にお尻を向けてしまっていたわけです。
とにかく、お金に関してだけは考えないようにして、しかもラクして生きられる方法はないだろうか？　そう考えながら、この年まで生きてきたような気がします……。

邱　お金はね……**怖いですよ。**

糸井　**やっぱり、**怖いんですかあ！

邱　「もしかして自分は、お金のことに対して、あまり能力がないのではないか？」それは**誰でもが、おそれている事柄**だと思うんです。

糸井　え、**誰でも**ですか？

邱　うん。だから、お金を扱うことについては、避けて通れるものなら通りたい、という心理が、はたらくのではないでしょうか？

糸井　あ！　**ぼくだけじゃない**わけですね。

邱　そうそう。そうだと思いますよ。

イ そんなぼくがお金のことを考えた

糸井　でも、そんなぼくが、何でお金について考えたいのかというと、まあそれは自分の暮らしの中で考えたいきっかけがあったこともありますが、大きなひと押しとしては、**お金にしがみついていないのにお金を語ることができる**という邱さんの姿勢を拝見したからなんです。

お金に対して「ないかのようにふるまう」のでもなくて、きちんとフェアに「あるならある」「あるものについて考えるというのは当たり前だ」という流れで邱さんは自然に考えていらっしゃいました。

……あ。今わかったんですけど、さっきいっていた「ぼくがお金について考えたくない理由」というのは、たぶん、**好きすぎる**からなんじゃないかなあ？　ぼくは実は欲張りで、お金が欲しくてたまらないから、そのワナにはまってしまうのが怖くなったんだろうなあ、と自分を振りかえれます。

バクチとかも、ぼくにとっては「お金」に近いものがあるなあ。直感的にいえば、たぶんぼくはバクチを好きな気がするのですが、「それをしたら、こうなるぞ」ということを、親や祖母からこんこんと説かれていましたから、できない。

お金に対して感じる印象は、そういうようなことにも似ていて、**欲が深すぎるから考えたくなくなる、**というようなことがあるんじゃないかと思います。

邱　まあ、それほどでもないですよ。

それはちょうど、**恋愛をする人が失恋を怖がるようなもん**でね。

糸井　おお！　**その言葉は本文で太字**ですね。そのたとえ、いいなあ。

恋愛はしたくてしょうがないけれども、失恋はしたくないというような気分は、お金に対して、最初なら誰もが持っているような感じかたなのでしょうか？

邱　はい。そう思います。

お金を子どもに使わせてみても、本当に、お金がどういうものかについては、わかっていないですからね。

糸井　わからないよなあ。

子どもって、自分で使ったことがないんだから。

Ⓠ息子には一年分のお金をあげましたよ

邱 ぼくは、自分の子どもに対して、「お金はこういうふうに使いなさい」というふうには教えません。自分で覚えろというか……。

糸井 邱さんでも、教えないんですか？

邱 どこのうちの親でも、自分の子どもに対しては、将来のために「むだづかいをされたら困る」という気持ちを持っていますよね。そうすると親は、ああしたらいかん、こうしたらいかん、といいがちなわけです。でも、ぼくは、人にいわれて覚えるのと自分で覚えるのとは、わけが違うと思う。いってもしかたがないところがあると思います。
例えば、サラリーマンの親だとしたら、ひと月にもらうお金の額が決まっている中で、その範囲内で暮らすものだというところで、生きているわけでしょう？

糸井 そういう前提条件を動かせないところで、サラリーマンは暮らしていますから。

邱　そうすると、サラリーマンの親は、その前提条件を踏み外さないように、ということを第一にして、子どもにお金のことを教えようとするわけですよね？　だから、おこづかいをあげるときにも、**どう使うかを干渉してしまいがち**で。

糸井　なるほど。

邱　でもぼくはね、**干渉してはいかん**という考えなんです。自分で覚えろと。だから、例えば、うちの息子がアメリカに留学に行くときにもそうしました。
ふつうだったら、サラリーマンをやっている親は、毎月仕送りをしますよね。「あるお金の範囲内」で暮らせというように。
でも私は、**一年分のお金**をあげましたよ。

糸井　おお！　俺もそういうことを一度はやってみたかったけど、実際には、できていなかったなあ。

邱　ぼくがどうしてそうしたかには、理由があります。
一か月の間の仕送りだと、たとえむだづかいをしても、最後の一週間だけをパンと水で暮らしていれば、飢え死にはしないわけです。でも、**もし一年分を早くに使ってしまったとしたら、あとの残りを生きられない**ですから。

糸井　怖い。

邱　だから自然に、自分で調節するようになりますよね。

糸井　つまり邱さんはお子さんに、お金に対する免疫力をつけさせたんですね。

イ おこづかいはいくらあげてましたか

糸井　ちなみにですが、邱さんなら、息子さんへのおこづかいはいくらあげても平気なわけでしょうけど……年でどのくらいの水準の額を、息子さんにあげていましたか?

邱　例えばアメリカでひと月アパート借りると七〇〇ドルくらいかかるだとか、電車に乗っているわけにはいかないから、寮から車で移動するための古い車を友だちから買ってもいいだとか、それと授業料もあるとか……。そういった計算をしてみると、仮に一か月に二〇〇〇ドルかかるとするならば、二万四〇〇〇ドルをあげることになります。いっぺんに、一年分なので。

糸井　なるほどなるほど。邱さんがお金をあげるイメージとしては、月にどのぐらいかかるかをはじめに計算してみて、十二か月分、と。金額としては、まあふつうだったですか？

邱　ふつうですよ。そんなにぜいたくをするほどのお金をあげるわけじゃない。「とりあえずこれを一年間使いなさい。でも、もう留学途中では送金をしない」といっておきました。

糸井　それは、勇気がいりますね。

邱　留学中に、ぼくの息子が「今、パリに居ます」って葉書をくれるんです。でも、パリに遊びに行くお金まで送ってあげた覚えはないので、彼は一年分のお金の中から、自分がパリに行きたい分だけ節約していたのでしょう。つまり、だんだん自然に自分でお金のコントロールができるようになります。

糸井　実際、できるようになりましたか？

邱　まあ、少なくとも今まで、「お金をくれ」といわれたことはないですから。

糸井　ぼく、邱さんの息子さんにお会いしたことがありますが、絵描きの人という

邱　か、芸術家ですよね。でも、暮らしのうえでの社会性みたいなものは、身についていったのですか?

糸井　「そんなにお金はいらない」というタイプです。あまり欲しがらない。ふーん。俺、「一年分」というのは、真似しようかなあ。子どもとお金の関係については、うちの子どもは女の子ですけど、やっぱり、考えますもんね……。

Ⓠ男の子と女の子とでは、お金の教育が違ってきます

邱　私、男の子と女の子とでは、お金の接しかたを分けているんですよ。

糸井　あらま。それは聞かなきゃ。

邱　**女の子には、あんまり不自由させるとダメ**なんです。

糸井　おおお……。

邱　男の子はどんなに不自由しても、何とかやっていけるけど、女の子にひもじい思いをさせると、何ていうか……**気持ちがいじけて**。

糸井　女の子のほうがいじけやすいですか?

邱　ひもじい思いをした女の子は、お金持ちのうちにお嫁に行ったら、気が変わってしまうのではないでしょうか。
だからぼくは自分で考えた結果、**息子には月に三万円しかあげなかったときに、娘には一五万円**あげていたんですよ。

糸井　五倍！

邱　娘には「弟たちにいくらもらっているかをいっちゃいかん」と告げておきました。

もしいうと、「何で男と女を差別するの？　ぼくもお姉ちゃんも、自分の家でごはんを食べているのだから、おこづかいは同じなはずでしょう？」と息子たちが主張するだろうからです。

だけど、私が女の子にそういう具合にしているのには、わけがあります。

私の友だちで、東南アジアの金持ちの華僑がいるでしょう？　そういう家の息子が嫁さんもらうとき、**お金に不自由しなかったうちからきたお嫁さんは、欲張らないからいい、というんです。**「このうちの財産が欲しい」とか、そういうことは考えないですよね。

ところが、貧乏な家から出てきて、さんざんな目に遭ってからお金持ちの家にくると「ぜいたくができる」と思って、少し気がおかしくなります。そうすると、その家の人からも警戒されるし、イヤがられるし、「やっぱり、生まれが悪いから、品がない」とかいわれたりするんですよ。結局その家の家産をどういう具合に動かすかというようなことを、そういう娘さんには任せられなくなっちゃう。

だったら、うちの娘には、家でイヤな思いをしないで、のびやかに育ってもらって、よそのうちに行っても人の家のお金を欲しがらないようになるほうが、いいのではないかと思ったんです。

でも「そんなにぜいたくな娘を持ったら、将来お嫁に行った先の旦那が、困るんじゃないですか?」と知りあいにはいわれるんですよ。「まあ、そんなことは旦那のほうが考えることなんだから、ぼくと関係ないよ」っていってるんですけど。

イ 人間は、むやみにはお金を欲しがらない?

糸井 よく「子どもがものを欲しがる」といいますが、やっぱり子ども側にだって、多少の遠慮があるとぼくは思います。親に対する気づかいというか。**人間が「むやみに欲しがる」ということは、基本的には、あんまりないんじゃないだろうか？**　とぼくは思っていまして……。だから、そんな中でも欲しがるものがあるのなら、それは本当に欲しいのだろうと思って、ぼくは買ってあげています。

でも、考えてみると、自分でもそんなにお金に困った覚えが、実はないんですよね。お金が欲しい欲しくないというのは、気持ちの持ちかたなのかなあとも感じます。だって、ぼく二十三歳とか二十四歳の頃に、俺はもう金持ちだ、と思っていましたから。

ぼくは、大学を一年で中退して二十歳ぐらいの頃からもうすでに仕事をはじめていたのですけれど、「ぼくは修業をしているようなものだから、大学に行っているつもりで、お金を送ってほしい」と父にはいっていました。親父も何だかそれを認めてくれて。

結局、毎月仕送りを受けていました。ぼくが会社員のときの給料はすごく安かったけど、その仕送りと足してふつうぐらいの収入にはなってました。その頃、すでにもう「足りている」という意識が、いつもあったんです。

思えば、その頃からあまり「お金に困っている」というイメージがないまま「もう、お金に関しては考えなくていいや」っていうふうに考えてきてしまったことが、あるんですね。いいことだか悪いことだかわからないんだけど。

だからぼくは本当に今まで、お金のことについては考えてこなかったんです。

今頃になって「考えないといけないぞ」とか「邱さんにお会いしてお金のことを伺いたい」とか思ったりするのは、たぶん、「お金の使いみち」がわかったからだと思うんです。**最近、ぼくは使うためのお金が欲しいんです。**

Ⓠ 子どもにはぜいたくを教えるべきです

邱　自分の考えた通りに子どもの教育に成功したわけではないですが、たいていの親が「節約をすること」ばかり教えてしまうのは、とてもよくないと思っています。**むしろぜいたくを教えるべきだと考えるんです。**

例えば、子どもを「吉兆」というようないい料理屋に連れていく人は、あんまりいないですよね。そういうところは、大人が接待で行く場所だ、とされていますから。

でも、ぼくは連れていきました。それから、世界でいちばん高いホテルとかにも連れていきました。だから、「これがいちばん高い飯を食わせるところ」というような場所は、子どもが大学を出るまでの間に、**ひと通り、だいたいぜんぶ終わらせておきました。**

糸井　おお。

邱　うちの子どもが辻静雄さんの『ヨーロッパ一等旅行』という本を読んで、その中に、ロンドンのクラリッジ・ホテルのことを、「湯水のごとくお金を使いたい人は、このホテルへ泊まればいい」と紹介してあったんですよ。

うちの息子は、それを見て、**「パパ、いっぺん、湯水のごとくお金を使ってみるのは、どうでしょうか？」**っていった（笑）。

「じゃあ、そうしようか」って泊まりに行きました。……エレベーターに乗ったら、ボーイにチップを払いなさいと書いてあったので子どもたちは一回一回、エレベーターで上にあがるのに、一ポンド払うんです。当時四五〇円ですよ？　うちの子どもたちが部屋に帰って、また出てくると、ボーイさんが替わっているのです。そのつど別のエレベーターボーイに四五〇円を払ってヒアッと悲鳴をあげていました。
子どもを連れていって三日間泊まったら、昼食夕食は外で食べましたから、素泊まりで五〇万円ぐらいだったかなあ？
当時としたら、**まあ、高い金**だったでしょうね。
子どもたちは、ぼくが、五〇万円も払っている姿を見て、**「胸が痛いねえ……」**っていうんですよ（笑）。

糸井 ははは（笑）。

邱 でも、その代わり「これだけぜいたくしたら、もうホワイトハウスなんかに招かれたとしても、ぜんぜんびびらないよね」といってました。

糸井 それは、お子さんがおいくつぐらいのときですか？

邱 子どもたちが、みな大学の一年とか二年ぐらいですね。

糸井 思春期の頃に、ぜいたくさせたんですね。

Ⓠ不良少年は「何かと、ちょっと早い」だけでしょう？

邱　いろんなお母さんたちを見ていると、子どものむだづかいをおそれて、現物給与したりします。しかし、お金であげるのではなく親の判断でものを買ってあげるというのは、**たぶん、いちばんいけないこと**だと思います。

糸井　考えるチャンスを失わせてしまうからですか？

邱　そうです。自分で判断させて、何でも経験させないといけない、というか……。

糸井　**まあ、不良少年というのはね、大人がやってることを少し早くやっているだけのこと**でしょう？

邱　ああ！（笑）面白いなあ、それ。

糸井　だから、少々いろいろなことを早く覚えたからといって、別に構わんわけですよね。

邱　また太字にしたいよ。**「不良は、いろんなことを、ただ単に早くやってるだけだ」**って（笑）。

糸井　ずっと前からそう思っています。

邱　**うちの上の息子なんか、割合に女の子にモテたから、**自分のうちに女の子を連れてくるときには、自分の姉さんに電話をかけていました。「すまないけど、ぼくが家に着く前に、机の上に置いてある写真を、ちょっとしまっておいてくれないかなあ」。別の女の子と一緒に家に帰ってくるのに、部屋に他の女の子の写真があったら、困るでしょう。

糸井 きょうだいで結託して、そんなことやっててねえ。

いいなあ。……そうやって、邱さんみたいなお金の教育をしてきた人は、そんなにいないわけですよね？

邱 だけど、それでうちの息子たちがお金儲けにうまくなったわけではないですからね。何ともわかりませんけれども。

ただ、**人に迷惑をかけるな**っていうことが大事ですから。お金のことでは人に迷惑をかけるな、ときつくいってきました。それに対して息子たちは「ヤクザにならなかっただけでも、親孝行でしょう？」と、いつもいいますけども。

糸井 何ていうんだろう？　数回お会いした感じでは、邱さんの息子さんって、貧乏な気持ちもわかるタイプの人に見えますよね。たぶんひとりでいるときには、それこそハンバーガーかじってても平気のような居姿だったような気がします。

邱　今ぼくが見ていて、例えば十七歳でいろいろな問題を起こしたりするとかいうのは、やっぱり、子どもの教育をぜんぶ学校に任せっきりにしている人が多いからだと思います。

まあ誰だって、自分の子どもに、すごい出世してもらいたい、なんて考えないでしょう？

……出世しなかった人はそういうことを考えると思いますが、ふつうはまあ、自分が世間でどうにかなっていたら、別に、子どもに偉くなってもらう必要もないと考えるのではないかと思います。

ただ、偉くならなくてもいいけれども、人に迷惑をかけて収拾がつかなくなるのだけは困ります。だから、それさえできればいいよという具合にぼくは思っていました。そうすると、少なくともその程度のお金の教育はしなきゃいけないなあという気持ちになりますよね？

糸井　そうか。**迷惑にならない程度**か。みんなは逆に、お金のおそろしさをクローズアップして伝えるから、お金に振りまわされるもとをつくるような教育になっちゃったんですね。

邱　ごくふつうにお金が扱えればいいんですよ。

イ お金は汚いものなんでしょうか?

糸井 学校では、まず、お金の話は教えないですし。

邱 お金の話とセックスの話は、学校で教えませんね。

糸井 このふたつは、そうとう似てますよね。

自分に対してどういうお金の教育がされたのかを、今、さかのぼってみると、やっぱり儒教的な倫理で教えられてきたように感じますね。「お金は、汚いものである」というように思わされていましたから。

ぼくが幼稚園くらいの小さい頃、お金を口に入れてたんだけど、そしたら、おばあちゃんに過剰に怒られました。それは、すごくよく覚えてます。「お金は、いちばん汚いんだ!」と、それはもう、病原菌かなんかのようで……。何で汚いのかの理由は、「人の手から手に渡ってきたから、誰が触ったかわからないし何がついているかわからない」ということなんだけど、それは、手で触っているし、手で触れる程度の汚さなんですよ。そこまで過剰に怒ることはない。

邱　だからそれはもう、実際の衛生上のものというよりは、「お金というのは汚い」という信仰に近いような考えだったんじゃないかなあと思うんです。

糸井　お金が汚いという考え方は、中国人にはないんですよ。

邱　はああ。

糸井　だからたぶん、日本の独特の考え方です。

邱　韓国なんかどうなんでしょう？

糸井　いや、よその国の人は、だいたいそんなことはないですよ。日本だけ割合に、お金を汚いと感じるのではないでしょうか。

邱　特別なのですか？

糸井　そういう感じを受けますね。

邱　日本人は、「**自分が生きているのは、お金のためではない**」という考えを、**どうも、美徳と考えている**でしょう。
それはどこからきてるかというと、やっぱり、宮仕えからきていると思います。サムライとして殿様に仕えるのは、決してお金のために仕えているんではないというか……。そういう秩序の中で育っているからだと思います。
日本の古い歴史を読んでいると、戦国時代の日本人は、そうでもなかったようにも見えます。例えば秀吉が本能寺に信長のカタキを討ちに戻るときには、自分の持っていたお金を家臣たちにぜんぶあげちゃって、「今度ここで勝たなかったら、みんなもう、めしも食っていけなくなるよ」と、あとに引けないように激励していますから。

糸井 それ、ベンチャーですねえ。

邱 あの時代なら、誰に従って戦争するのかは、「どっちが得なのか」「どっちのほうがめしを食えるか」と動機がはっきりしていますね。

Ⓠ今のお金の哲学のもとは、徳川時代だと思います

邱 でも、徳川時代から以後になると、ひとつの藩の中で殿様の収入はこれだけしかないと決められていましたよね。収入をおコメでもらって、そのコメをみんなに配るという米本位制で、しかも低成長でしたから、だいぶ感覚が違ってくるんですよね。もともとみんな経済知識のない人ばかりでしょう。藩の財政の仕組みがどうなっているのかも知らないし、五〇〇〇石といっても額面通りもらえていた

糸井　藩なんて、日本国じゅうでも四つしかなかったそうですから。

邱　少なくても、がまんしてたんだ。

糸井　あとはみんな、肩書は五〇〇〇石取りでも一五〇〇石ぐらいとか、三分の一しかもらってないようなものばかりなんです。それなのにどうして額面にこだわるかというと、それが肩書とか身分を示すものだったからなんですね。

邱　「部長補佐」みたいなもんだなあ。

糸井　そういう中で生きることになったら、まあ**考えたらみじめ**な話ですけど。**金はいらん**というか、「金のためにやってるんじゃない」というプライドでもないと生きがいがないでしょうね。

邱　お金に対するそういうサムライ的発想は、日本の国で、ここ三百〜四百年くらいという感じがしますね。

糸井　それは、短いということですか？

邱　日本の歴史の中でそんなに長いものではないのではないかなあという気がします。

明治以後は三等が二等になり、二等がグリーン車になるように、みながグレード・アップしてサムライになりましたから日本人の考えかたや感じかたは、徳川三百年の総決算みたいなところがありますよ。

㋑「包丁一本……」じゃ苦しいですよね

糸井 ぼくは、両国の江戸東京博物館に行ったことがあって、そこで東京の地層が断面図で出ているのを見たことがあります。

そのときに、すごく面白いなあと思ったのは、地層を見ると大火事の跡が三つはっきりと出ていることなんです。三回も丸焼けになっているわけです。

まあ、当時の町人の長屋というのは、それこそ今の建物からしたらバラックも同然でしょうから、焼けてもいいようなデカいカバンの中に住んでいたみたいなもんだったでしょうけど……。

「焼けてなくなっちゃうことがありうるという前提から、江戸っ子気質が出てきた」という説が、その地層を博物館で見ていると、よーくわかったんですよ。

どうせもともとは江戸も、田舎から出てきた人たちが何にもなかったところにつくった都市で、お金や経済については何もわからなかった人たちが、職人として腕を頼りにして暮らしてきた土地です。お金がどういうものかというのも、わかっているはいない。そもそも、貯めといてもパーになった経験が何度もあるから、焼けちゃう前提で生きていたわけでしょう？
当然、職人気質なわけだから、お金がどういうものかというのも、わかって
だとしたら、初鰹を買っちゃうのもそれは当たり前で、決して享楽的だから
そうなったんじゃないんですよね。そうやってお金を使いきるというかたち
での江戸っ子文化は、火事が起きてしまう背景から、当たり前のように生まれたんだろうなあ。
お金を管理する側にまわる為政者たちはお金について教育も受けて勉強していただろうけれども、江戸以後でさえも、庶民階級ではお金の教育をする必要もなかったし、別に貯まりもしなかったから、お金について学ぶチャンスもなかった……。
だとしたら、やっぱり昔の、いっけん享楽的に見える江戸っ子文化みたいなものに自分のアイデンティティーを見出して、宵越しの金は持たないといいたくもなってくるわけで。
そういうところで、どうも自分も四十八歳ぐらいまでは生きてきちゃったよ

うな気がしてるんです。お金がどうせ消えてしまう社会なら、その代わりに頼りになるものは……腕ですよね。で、『俺にはこの腕さえあれば、『包丁一本、サラシに巻いて』で、どこでも飯を食っていける』という立場になれるようにがんばるとか……。でも、それは経済から外れているんです。ただ経済を文化に転換させて自分のお金のことをとらえているものだから、やっぱり、そこではお金そのものについてきちんとわかっていることにはならないわけで……。

邱 ぼく自身に関しても、そんな江戸時代からの職人のような気持ちで生きてきたわけです。こんな現代の今の自分にもそういうことが起きていたのだと思うと、ちょっとその「お金を考えられない日本の伝統」を感じてゾッとしたと同時に、「ああ、みんなもまだ考えられないんだ」と思ったという、ぼくにはけっこう面白い発見でもあったんです。

江戸時代からの日本は、破壊があって建設がある、という歴史のくりかえしですからね。しばらく破壊がない状態が続くと、今みたいにおかしくなっちゃうというか。

糸井 そうです。破壊のない状態に、慣れていなかったわけです。

だから戦後は「お金を貯める」とか「お金を動かす」ということについて、付け焼き刃で考えざるをえなくなってしまったようなんですよね。バブルのときなんて、神田あたりの中心部に住んでいた人たちが、自分は大金持ちになっちゃうかもしれないとか思いながら、狭い土地を守っていたり……。あれはあれで、辛かっただろうとも察します。今までにないいさかいも起きただろうし。

あれはあれで、新しいことだったから辛かったのでしょうね。

倹約してさえいれば安心なのでしょうか？

糸井　今の日本では、見えない破壊が進んでいると思うんです。つまり、システムが焼け野原になった状態です。あちこちのシステムが、もう江戸のように火事ぼうぼうになっていますよね？

さあ、これから何を考えていくんだというふうになってくると、ぼくはやっぱり、やったことのない経験のなかに飛びこんでいきたいと思っています。そのときに自分の行く先について学べるのって、何からかといえば、やっぱり歴史なのではないかなあと感じているんです。

そもそも、邱さんがお書きになっていることも、実は、**いちばん新しい話についての進んだ情報を述べるというよりは、新しいものごとを古いかたちの包み紙に入れて、食べやすくして届けようとしますよね。**

そういうかたちでお金について考えていけたらいいなあと考えて、だから邱さんに学びたいと思うんです。

邱　今までお金のことについては、ほとんどの人たちが付け焼き刃の認識しか持っていなくて、倹約してさえいれば安心だと思ってたようなことがあるというところから、スタートしましょう。そういう人たちは、まず、どこからお金について考えたらいいのでしょうか？

時代が変わっても真理は同じという面は強いですね。

糸井　……例えば、お金を大切にしない人は、やっぱり金持ちになれませんもの。

ぜいたくを覚えることと、お金を大切にすることは矛盾しないわけですね？

邱　そうなんです。

糸井　そういうところにヒントがあるんだなあ、きっと。

邱　お金を増やすにはどうするかというと、**使わなければ自然に貯まりますよ。**

この原則は変わりようがないでしょう。

二宮尊徳という人は、まわりの人があんまりむちゃくちゃにお金を使うから、そのアンチ・テーゼとして、成り立っているのでしょう。

「一〇万石だって、一粒ずつのおコメが集まって一〇万石になるんだから、一粒でもむだにしてはいけない」と戒めています。

でもたいていの日本人は道端に一〇円おちていても拾いませんものね。小さなお金でもバカにしないところから蓄財ははじまると思うんです。**現に今でも、私は一円でも拾います。**

Ⓠ お金は、貧乏人には大きく見えます

邱　それは一円足りなくても電車に乗れないと思うからです。でもそれはお金を大切にするということで、そうやったから金儲けが上手になるというわけではありません。

糸井　ただ、一つ一つのお金は、どんな場面でも同じ価値を持つとおっしゃっているんですよね。

邱　塵も積れば山ですよ。

ただお金は、交換価値としては同じなんだけど、心理的価値は、人によってかなり違います。例えば大金持ちの人の一万円と貧乏な人の一万円とは、大きさが違いますよね。貧乏人の一万円は、電車の窓から見える広告ぐらい大きい。そして大金持ちの一万円は心理的には切手ぐらいの大きさでしょう。ですから、**お金がたくさんあればいいということでもないと思います。**心理的な大きさからいえば、貧乏人の一万円は、金持ちの一〇〇万円に相当するわけですから、貧乏人のほうが少ないお金で幸せな気分になれます。

糸井　以前、赤瀬川原平さんが、いろいろな人にサイズを知らせずに「フリーハンドで一万円札の絵を描いてください」ということをやっていまして……。そういうことを調べようと思うところは、やっぱり芸術家ってすごいひらめきがあるよなあと思いましたけど。だって、誰もお札のサイズをはかったことないじゃないですか。

その実験結果が、まさに今邱さんがおっしゃったのとおんなじで、見事にそうだったみたいですけど、お金のない人ほど大きく描くんだって！　それこそ上野にいるホームレスの人とかは、一万円札を、信じられないくらいに大きく描いたみたいです。

邱　邱さんがおっしゃったことは「使わなければ貯まる」という、ある意味では難しくないひとつだけの原則なんだけど、その原則は、お金がころころ転がっていくときに、いろいろな変化をするわけですよね？

金平糖の核みたいなものですよ。**最初のスタートはどの人にとっても同じだけども、それが大きくなっていくプロセスは違ってきます。金儲けのうまい人と下手な人とではどうしても差がついてきますね。**

イ 「運」という言葉をたくさん使いますよね

邱　でも金儲けなんていうのは、意識的にできるものでもない部分がありますよ。ですからどうしても「あいつは運がいい」というようないわれかたがされますけれども。

糸井　**邱さんって、「運」という言葉を、ごく自然にとってもたくさん使いますよね。**

邱　多くの人を観察していると、**どうも運のいい人にはかなわない**というより他説明のしようがないことが見えてしまいますね。

糸井　その原則は、邱さんのご本を読んでいると、割とよく目にします。

邱　**お金の神様は、目が見えない**といわれてますよね。

「何であんなやつに！　あんなやつがなんで金持ちに！」

というような人のポケットにも、お金の神様はドバッと入れちゃうでしょう。

糸井　自分たちの周囲でもよく思い当たる光景でしょう。そういうのをどう説明しますか。

邱　そこでその人がお金持ちになったことの説明は、「運」という言葉を入れないと、できないわけですね。

「運」という言葉を、どうしてみんなが使わなくなったかというと、やっぱり不平等の典型だからでしょう。つまり、「美人」っていういいかたすらしてはいけないようなものです。「美人」といった瞬間に「ブス」の存在も出してしまうからいけない、みたいな……。

でも、**そうやって「運」という言葉を使わないようにしているうちに、あたかも、人間がみんな同じようなもので、運も均等になっているみたいに、社**

会全体が幻想のように思いこんでいるフシがありますよね。

特に新聞をはじめとするメディアの記事が、一切不平等のないという前提で、読者がみんな同じ状態で読むことが、まるでおかしくないかのように書いてある……。

邱　選挙はみんなが一票持っているけど、それが平等なのかというと難しいなあと思います。株式会社ならば、持ち株によって票が違うわけです。だったら、払った税金によって、この人は一〇〇倍お金を払ったんだから一〇〇倍の票を、というような仕組みにしたほうが、本当は平等だとぼくは考えますけれども。

でも、そうは誰も思わないもんね。

糸井　（笑）そんなことといったら必ず怒られますよ。

Ⓠ人間は、自分の見たいものしか見ないですから

糸井　でも、不平等だというのは、その通りですよねえ。

ただ、不平等である現実をいうと、なんだか、やたらに怒られますよね。だ

いたい、子どもにぜいたくをさせるとおっしゃったところで、「あなたはそれでいいかもしれないけども、私は……」といわれるような気がするんですよね。
でも、不平等である事実を認めないで、こうあるべきだということだけで語りあっていると、真実が見えなくなると思います。
ぼくがやっている「ほぼ日刊イトイ新聞」に邱さんが昔にお書きになった小説『西遊記』（『毎日読む小説「西遊記」』として二〇〇〇年九月～二〇〇一年五月まで連載）を載せてくださっているけど、その中でも、孫悟空が三蔵法師に、「あなたは、慈悲という目ヤニで目がくもっていらっしゃるんだ」というシーンがありましたよね。あれは、感動しました。
自分が倫理的にいい人間でありたいという思いを表すために、人は事実を見ないようにしちゃっている。そこのところがきちんと書いてあったから。

邱　いや、**人間はね、自分が見たいものしか見ない**んです。

糸井　はい、そうですね。

邱　だから**人間には目があるなんていうけど、その目が悪ければ何も見えない**。

糸井　おおぜいでがやがや集まっているときにも、気になる話だけが聞こえるとか、あとふだん時計がカチカチいう音は聞こえないとか……そういうのと同じことを、目もやっていますからね。だったら、目がくもるのは当たり前のことなんですよね。

邱　ですから**人間の目も耳も口も、実はそんなに万能じゃないんですよ。**

糸井　うーん。ここ、また太字だなあ（笑）。

誰もが、そういうその目ヤニだらけだったりするし……。

目や耳で情報戦争とはいっていても、見たけどそのままにしているものの中に砂金の粒が多いという場合もあるし、どう砂金を拾うかによっても、ぜんぜん変わってくるということはわかりますよねえ。

第2章

事業・株式上場・給料生活・インターネット

Ⓠ株式上場をするほど落ちぶれていないです

邱 ぼくは今でも自分がお金をたくさん持っているとは思っていません。個人で使うためなら少しの金でも足りるけれども、仕事をやるとなったら、いくらお金があっても足りないんですから。
それに、ぼくの場合は、お金を人に頼らないから。**株式の公開をしろとかいうことがあっても、ぼくはそんなのはイヤ**なんです。

糸井 上場、しないでこられましたよね？

邱 今日も本読んでたら、**「株の公開をするほど落ちぶれてはいない」**とあるドイツ人がいったという一節を読みました。**「上場するというのは、会社の身売りをすることだから」**。ぼくも……自分のしていることについていちいち人に釈明するのがイヤなんですね。

糸井 株主総会で、重箱の隅をつつくような質問を受けるくらいなら、上場なんてしたくない？

邱　もし株主総会をひらかないといけないといわれたらぼくは、うちでかみさんと二人でやります（笑）。

糸井　今の公開ブームとかいうものに、ぼくは反感を持っています。邱さんを見ていると、それは、感じられますね。

邱　「株を公開すると、株価が一〇倍や一〇〇倍になる」ということは異常なことですよ。インターネットバブルはそう長くは続かないでしょう。ついこの間までコツコツやって、一〇億円か二〇億円創業者利得を得たら、みな大喜びだったたんですからね。

糸井　バブルじゃない限りは、そういう程度なんですか……。

邱　**たった一〇億か二〇億**の金をもらったばっかりに、**毎年毎年、死ぬ思いで売上げと利益をあげなけりゃならないとしたら、割にあいませんよ。**ぼくにはできない芸当ですね。

イ　事業って作品のようなものなんでしょうねえ

糸井　確かに、上場をすると、守りの仕事もとても増えますよね。

邱　自分がひとりでやっていたときの逆を、ぜんぶやらなきゃいけなくなるんですよ。

個人営業に毛の生えた企業なら利益を出すな、お金を使えと税理士の先生にアドバイスされていたのが、**冒険はするな**、節約をして利益をあげろ、と何から何まで逆になるんですから。

糸井　ガマン仕事が増えますね。

邱　手足をしばられて生きるようなものですよ。

糸井　そう考えているということは、**事業って、邱さんにとっては作品のようなものなんでしょうかねえ。**

小説を書くように、事業のここをこうしたらこうなって、ここでは思いがけないことが起きて、俺がこう考えたからこそそのときにこうした……話をうかがっていると、そういうプロセスのほうが、お金儲けそのものよりも邱さんの中では重視されているように思えます。

邱さんの手がけるひとつの企業の歴史は、一篇の小説のようにさえ見えます。

だから、たくさんの会社を邱さんはおつくりになったのでしょうか?

邱　金儲けというよりは、白紙に画を描くようなものですね。

糸井　そういう意味では、邱さんは企業という作品を、量産してらっしゃいますよね。

でも、邱さんの上場についての考えは、**まっとうでうれしいなあ。**面白いです。

世の風潮としては、ずっと**株式の店頭公開がブームみたいになっていて、若い人たちは、「何をしたいか」というよりも先に「上場する」ということを目的**にすえて発言をしていますもの。

邱　殊に最近のように、会社を売るために会社をつくる考え方には同調できませんね。お金のためにだけやっているという連中には、反感を感じますよ。

糸井　お金の神様ですら、反感を感じるんだなあ。

ぼくも、なんかイヤだったんです。……まあだいたいふつうの神経の持ち主だったら、そうだと思うんですよ（笑）。でも、お金のことをきちんとわかっている人にそういってもらえると、スカッとしますよ。うれしいなあ。聞いていいて、気持ちいいですよ。

邱　お金の亡者のような人をぼくはたくさん見てきているから、お金のためなら手段を選ばない人よりも、金のことなんか考えないで一生懸命やっている人のほうが、好きですよ。

糸井　じゃあ、**そこの点だけでは間違いなく俺は好かれますね（笑）。**

イ　今は人が欲しいからお金がいるんです

糸井　ぼくは今、自分がものすごく大きなお金が欲しいかどうか、本当のところはよくわからないのですけど……でもまあ、基本的には、お金が欲しくない人はいませんよね？

邱　それはないでしょうね。

糸井　で、そこの「お金が欲しい」という気持ちは大事だと思うんですけども、ただ、お金を得たときにやることがわからないのに欲しがっていてもしょうがないんじゃないかと、ぼくは思うんです。

つまり、旅行に行きたいからってバイトをする若い子がいたら、それはとっても気持ちのいい話ですけども、でも、さんざん貯めておいてから、「あれ？　俺は何がしたいんだっけ？　あ、旅行があるのかあ」

というのは、やっぱりなんか面白くないというか、**ややつ**ですよね。今ぼくがいちばん欲しいものは何かというと、単純にいえば「人」なんです。人間って、ものすごく値段が高いじゃないですか。

邱　そうですね。

糸井　ものすごいたくさんのお金がないと、本当に信頼のできる能力のある人たちなんて、集められないですよね。でも、信頼できて能力もある人が欲しいと思うに値する「やりたいこと」が、最近できてきたんです。ぼくのやりかたとしては「コイツの給料の分だけは、まず稼ぐ場をつくろう」とか思っていったらいいのかなあ、と思っています。お金を得るよりも、大事な人を見つけるのが先なんじゃないかなあ。

工業製品的な考えかただと、箱をつくれば人が集まるという幻想があるから、立派な社屋を建てたり素敵なロケーションを求めたりしがちですよね。そうすることによって人が集まっているふりをしています。けれども、それで確かに人が集まることは集まりますが、**能力のある人は**、**そういうことでは集まってこないですよね**。やっぱり、能力のある人にとって何が楽しいかといえば、理解しあえる仲間がいて、その人たちと同じ欲望を持てて、しかもその欲望が、麻雀をしているかのように気持ちがよくて、というのがいちばんの動機になるわけですから。
そういう人に払いたいからお金を欲しい、というところでなら、ぼくは本気でお金を欲しがれるんだけど、そういう欲しがりかたをしている人って、そんなにいないんですよね。上場でお金を手にいれる、というように逆転していますから。

㋑ 邱さんって考えていることが先すぎるもん

邱 この間『日経ビジネス』で、気がついたら中国が、世界の工場地帯になっていたという特集をしていましたでしょう? ぼくはそれを十年も前から「必ずそうなる」と主張してきましたが、ほとんど耳を傾けてもらえませんでした。
雲が垂れこめているところで、雨になるといえば信じてもらえるけれども、雲も出ていないところで、雨がふる話をするからダメなんですね。

糸井 やっぱりいわれるんだろうなあ。

邱　邱さんって、だいたい考えていることが先すぎるもん。

糸井　うしろを振り向いても、誰かついてきてるならいいんだけど。ある意味では、邱さんのおっしゃることを盲信してついてきてくれる部下のような人たちがいないと、考えたことを実行できないですよね？

邱　「そんなばかなことがあるか」と疑われることが多いんですよ。例えば、日本が経済大国になることをぼくは昭和三十五年の頃にいいましたけれど、パラドックスですかと笑われたことがあります。

糸井　信じてもらえるには、すごい長い時間がかかるんですか？

邱　いつも同じことのくりかえしになりますから、そのうちにぼくも、**そんなに先の先まで考えちゃあいけないな、と、自分を戒めるようになりました。**走るスピードもなるべく遅らせてみて、**うしろに二人三人はいるぐらいのテンポにしてみよう**と思っています。

糸井　先のことを考えることが好きなんだろうなあ。でも、うしろを振りかえっても人がついてこられるように、というのはとても難しい技術ですよ。若ければ若いほど、そういうことはできないですから。邱さんは、それを自分に戒めているんですか。なるほどなあ。

Ⓠ 事業は果樹園のようで、収穫するまでに時間がかかります

邱　**事業というのは果樹園のようなもので、**植えてから実がなるまで、収穫をするまでにかなりの時間がかかるんですよね。おコメだったら三か月後にとれるけれども。

糸井　そこのところ、**コメではなくて果樹**なんですね。なるほど！　おコメみたいに一年もかからずにはとれないのかあ……。実がならないような何年かが、必ずあるんですか？

邱　桃栗だって三年でしょう。でも事業はもっと時間がかかります。ですから、**今、事業をはじめたとしても、ぼくなら、もう、自分が収穫をするまで生きていない**のですよ。種まきをしても、実がなったときにはもうこちらはいないということが起こるんです。それでもやるのは、一緒にやってくれたやつが収穫をすればいいと思っているからです。

糸井　うーん、なるほど。果樹園かあ。

邱　だから邱さんは、自分だけがわかる先端を突っ走らないで、少しスピードをゆるめても若い人たちに理解されることを選んでいるのでしょうね。それに気づくことも、やはり若い頃にはできなかったでしょう？

邱　年輪というんでしょうね。

イ　給料生活についてどう思われますか？

糸井　ここまでしゃべっていて邱さんから教えていただいたことは、まずは、「お金は、使わなければ貯まる」という原則ですよね。だけど、その原則を知っていたとしても、ほとんどの人たちは、月々の給料というかたちで自分の暮らしを支えることに慣れているから、そのお金を使って独立するとかいうことを、あんまり考えていないわけです。

邱さんは、こういう給料生活について、どう思われますか？

邱　これはその人の育った環境によって対応のしかたが違いますね。日本人は、宮仕えを社会のランクのいちばん上のところへ持っていったでしょう？　明治以後も官僚になることがエリートのすることでした。

世の中が自由化していくプロセスで、みんなが自分がいいと思う仕事をしたがるように変わるけれども、日本では一等が宮仕えとされていますから、優秀ならば宮仕えをするのが当たり前であり、それが人生の理想でもあるような価値観があるように思います。山の手に住んでいる女の人が商店街のおかみさんに**「うちは、これでも月給取りですから」**と誇らしげにいう……そんな場面を、明治時代の小説でぼくは読んだことがあります。

糸井 ああ、そういうセリフを誇らしくいうのが、自然だったんですね。ですから、**戦前までは月給取りが偉かったんですね。**

邱 「月給取り」は江戸時代だったとしたら「禄を食《は》んでいる人」でしょう？ ふつうの人は日給だったから、その日に働いたお金はあるけれど、働かない日には収入ゼロでした。その点、月の単位でお金をもらえる月給取りは安定していて偉かったとされていたんです。でも、よその国では、必ずしも月給取りがいいとは見なされません。中国だったら、みんな、「どうやって独立して仕事をやるか？」ということばかり考えていますもの。

糸井　みんな、日給取りなんですか？

邱　いや、**月給を払う側にまわる**ということです。

糸井　そうかそうか。

邱　つい最近では、日本でも、月給だけもらえればいいという価値観が崩れかけていますけれども、それまではみんなが「一流会社に入って、月給をもらって、一生安泰な、エスカレーターに乗るようなかたちの生活」を、当然のように理想と考えていましたよね。

Ⓠ大陸の人は給料を払う側になって生きたいと考えます

糸井　今までは、終身雇用のまっすぐの階段がいちばんよいとされてきましたから。

邱　それが最近はかなり崩れかかっていますが、よその国の人から見ればそんなことは当たり前のことです。むしろ日本人だけが「組織の中の自分」という考えかたをもとに動いてきたところがあると思います。

もちろん、そういう考えかたのよさもありますよ。日本の国の経済がこれだけ発展したのは、組織の中でみんなで力をあわせてきたからでしょう。「東芝一家」とか「日立一家」とかいいますものね。

糸井 そうですね。割に今の日本の大企業って、幕藩体制みたいに見えます。それぞれの企業のプライドが、やはりとても藩だとか城下町に似たような雰囲気を出していますよね、今でも。

邱 そういう雰囲気は、よその国にはありません。すぐお隣の韓国に行っても、台湾に行っても、中国でも、みんなそれとはかなり違いますから。「月給だけで、暮らしなさい」といったら、おそらくぼくのやっている台湾やら大陸の会社に勤めている人たちは、みんな辞めちゃいますよ。

糸井 その人たちは、どういうふうな気持ちで勤めているのですか？

邱 みんな、この会社で仕事を覚えたら、**自分が親方になって人を使いたい**と思ってます。

糸井 なるほど。その「親方になる」っていうことは、自分に欲望があって、それを思いっきりやりたいということですね。親方になれば、お金を自由に使って自分の好きな仕事をできますし、自分の決裁で、ある意味ではバクチ的な判断もできますものね。

だけど、そういうふうな立場になることが、日本では、今まで、何かまるでいけないことのように思われてきましたよね？　「お世話になった会社を、裏切るのか？」と。

イ　欲望をないものにしたがりますよね

邱　ぼくなんかから見ると、日本人は自分の欲望をむき出しにしません。欲のないのが聖人君子だと思っているんですね。「欲と二人連れ」という言葉を見てもわかります。

糸井　欲というのを外に出して、自分の中にないことにしている。

邱　自分に私心のないのが美徳なんですね。その点金儲けは「欲と二人連れ」でやる。

糸井　だから日本人は、全員もうひとり連れていることになりますね。それは例えば「下半身のことには責任を持たない」といういい方と、ほとんど同じですよね？　下半身は他人にしちゃっているというか。でも、ほんとはみんな、欲とセットになっているはずですからね。「お前、二人連れとかいいながら、よく見るとひとりじゃないか」ってことになりますよ。認めたがらないけど、全員が、欲と二人連れですから。

邱　日本人はワンピースじゃなくて、ツーピースを着ているんです。

糸井　欲望にかかわることを、自分の中では「ないもの」にしたがる……。

邱　そういう生き方や発想はどこからきたのかというと、やはりサムライに要求されている資質なんですね。

私利私欲がないのが人間としての正しい生き方なのだと自分にいい聞かせなければ、サムライなんてとてもつとまりませんよ。

そういう生き方を、多くの人が本当に律儀にやってきたんです。

糸井　よく今までもちましたね。

Ⓠ日本人とは違う生き方が必要でしたから

糸井　……さきほどの、「宮仕えのような理想を掲げる気持ちが、よく今まで長いあいだ『もってきた』よなあ」というのは、ぼくは自分に対してもいっていることなんです。ほとんどの日本人の中には、いまだにサムライのような成

邱　分があると思いますから。もちろんぼくにも、かなりありました。邱さんには、なかったのですか？

糸井　ぼくは台湾に育ったし、同級生が官僚になるのを、指をくわえて見ていただけですから。

邱　排除されたから、覚えなくてすんだのですか。

糸井　そういう面もあるでしょうね。

邱　そう考えると、若いときの苦労は買ってでもしろ、というのも本当に思えますね。なるほど……。

戦争が終わってみると、日本の雇用にも大きな変動が起こりましたけれども、それでも東大の学生だったら、だいたいどこでも採用してくれました。世の中、みんなが失業しているというのに、ぼくのいた東大経済学部の事務室の前の所に行くと、採用募集がいっぱい張り出されているんです。東大生は誰も失業の心配をしなくてすみました。

ぼくよりも優秀だとはとうてい思えないような連中が、けっこう、日銀だとか大蔵省に採用決定します。

ぼくだけが、仲間はずれにされました。

結果としては、別の生き方を考えるより他なかったんですが、そのことが幸いしている面もあります。**人生の表階段はおおぜい人が集まってひしめきあっていますから、なかなかうまく昇っていけないけども、やむを得ず裏階段にまわるとガラガラなんですね。ぼくはそのままスッと裏階段をあがることができましたから。**人よりも早く最上階まであがれたんです。

糸井 いっけんハンディキャップに見えることが、逆に、邱さんに、みんなと違う方法を探す賢さみたいなものを教えてくれたんでしょうね。

Ⓠ現地採用のつもりで働いたほうがいいんです

邱 例えば、今、会社に就職するとしますと、昔に比べて外国に派遣されるチャンスが多くなっていますよね。もう一〇〇万以上の人が海外勤務ですから、これからはもっとたくさんの人が外国に行く時代に入ります。会社から派遣されて働きに行く人たちは、本社でもらってる手当の他に外地手当までもらえますから、発展途上国では殿様みたいな生活を送っています。でも、それに甘んじていてはいけないのです。

日本人でも、現地採用されている場合には本社の半分以下の給料でガマンをしなければいけないですよね？　その代わり現地採用の人は、やがてその土地で独立をしようと思っていますから、仕事をすぐに覚える気迫がありま す。日本から派遣されていった人は、外国にいたとしても、日本のサラリーマンのままでしょう。

糸井　あ、なるほど、**現地採用の人は、動きが「会社のリモコン」ではない**んですね。

邱　ですから、ぼくは現地採用の気概で仕事をはじめなさいというんです。日本の一流会社に勤めて派遣されてどこかに駐在のかたちで出かけていく人たちは、何も覚えないですからねえ……。だいいち、派遣の場合は、いつも本社の顔色ばかりを見ていなければいけないですもの。

糸井　なるほど、現地採用ですか。いっけんものすごく不利に見えるけれども、なるほどなあ。

邱　邱さんが若い頃にしたように、いっけん、マイナスカードをもらったと思ったら、それでつくる役を考えるということですね。

ハンディキャップのあるほうがいいんですよ。

糸井　邱さんが「月給をもらう側でとどまらない」とか「現地採用で仕事を覚える」とかおっしゃっているのを聞いていると、つくづくなるほどと思うよなあ。

今までは、やりたいことに向ける動機がなくても生きてこられた人生だったけれども、それが多くの人にとって、そろそろ違ってきているのだろうと思います。

邱さんのお話を聞いていると「今は、何かをしたいと思ってない人は、何をすることも無理なんだ」とおっしゃっているような気さえします。

Ⓠ学校中退じゃないと、出世できないですよ

邱　この前ね、船井電機の社長と話をしてたら、
「これからは、学校中退でないと出世できないよ」
というんです。
糸井　わかるなあ。
邱　ビル・ゲイツだってそうじゃないかって。

糸井　ちなみにぼくもそうなんですけど。でも、中退って、いっけんそのときに親の目から見たら、やっぱりハンディですよね。何で好きこのんでそんなことをするんだとはいわれるでしょうけど、でも、ぼくの場合は面白かったです。そうやって、ハンディキャップがあることのほうが。

邱　みんなお金が欲しいというけど、でもお金よりは、面白いと感じることがいちばん大切だと思います。麻雀の好きな人を見ていると、徹夜してやっていますものね。

糸井　あれ労働だとしたら、大変なものですよね。……っていうことは、麻雀なみに面白い仕事ならば、いくらでも楽しくいられるということですよね。

邱　ですから、自分にとって面白い仕事は何かを発見することが第一ですね。ただ二十歳やそこらで発見できるわけがないのだから、いろんな経験を積む必要がありますね。

糸井　やっぱり、テストをくりかえせる時期にやっておいたほうがいい？

邱　やりたいことを本当に真剣に考える時期は……ぼくが観察をしていると、二十七歳ですね。それまではだいたいがダメなんです。

糸井　ダメですか。

邱　ちゃんと勤めていても、二十七歳くらいまでは、学生気分が抜けません。

糸井　そういわれると、そんな気もちょっとする。

邱　二十七歳ぐらいになると、結婚している人も結婚していない人もいろいろなことを考える。

糸井　つまり、大人になるのが、二十七歳なんだ？

邱　経済的な乳離れは遅くなりましたものね。

イ　四十八歳くらいまでやりたいことがわからなかった

糸井　そうなると、成人式を変えたほうがいいのかなあ。昔の基準でいうと、二十歳ぐらいが、大人になるときだったけども、こうやって全体的に豊かになって、学生でいられる豊かさが一般的になると、大人になるのが遅れるのでしょうね。

邱　昔は五十歳で死にましたもんね。夏目漱石なんか、四十数歳で文豪といわれています。今では、六十代のやつに「文豪」といっても、みんなに笑われちゃいます。

糸井　夏目漱石って、あの**一〇〇〇円札のお札の写真の頃の年齢が四十二歳**なんですよ。あんな四十二歳は、今、いないよねえ。

邱　もちろん今でも本当に早い人は、大学も行かないで自分の道を歩みはじめるけど、それでも本当に真剣になって、これから自分が何をするつもりなのかを考えるのは二十七歳くらいでしょう。実際には、二十七歳になっても、まだ何をやったらいいのかをわからない人のほうが多いでしょうけど。

糸井　ぼくは本当に、つい最近になるまでわからなかったです。
ずっと、わかっているような顔はしていましたけれど、今思えば、わからなくて当然ですよね？
それまでは、人に何かを頼まれて、自分がそのお役に立つこと自体がとてもうれしかったから、お役に立ち続けてさえいれば、あまり自分のやりたいことなんて考えなくてもすんできたんです。人の役に立つようなことをしながらも、もうひとつ別の頭で学生気分的なことを考えていれば、自分では生きているつもりになれていました。
やりたいこととやることが重なるのって、ぼくの場合は本当に「あ、人生にはうしろがあるんだな。おわり半分にきているんだな」と意識してからのことでした。

邱　糸井さんの「ほぼ日刊イトイ新聞」でぼくが連載している『もしもQさんQさんよ』（二〇〇〇年三月～二〇〇二年八月まで連載）の中で、ためしに「秘書を求めてる」といってみたら、一〇〇通以上の応募がきました。
面接で本人たちに会って話を聞いていると、みんな、何かをやろうとは思っていたみたいだけれども、どこから何を手がかりにしてどうやっていいのかということになると、五里霧中という人がほとんどですね。

糸井　え？　本当ですか？　けっこう年齢が上のかたもいましたよね？

邱　年寄りもいますよ。

糸井　でもわかんないのですか？

邱　若い人はまだ、かたちができてないから……。

糸井　例えば、昔でいうと二・二六事件の青年将校や若い下士官みたいな人たちというのは、あれは大人だったのですか？　それとも学生だったのでしょうか？

邱　そそのかされて生きている段階でしょう。まだ。

糸井　（笑）そうですよねえ、確かに。面白いなあ。

邱　だから、それこそ、よど号事件からはじまって、みんな**ああいうのはぜんぶそそのかされているんです。**後になって後悔してますよね。

Ⓠお金の流れは黄河の流域みたいなものです

邱　時代と共に、金儲けのやり方は変わります。さっき原則としてお金を貯める法則は変わらないといいましたが、それを増やす法則は次々と変わっていくんです。

糸井　みんなと同じに手っ取り早いことで稼げるのは、もうあり得ないと思ったほうがいい、ということでしょうか？

邱　**お金の流れというのは黄河の流域みたいなものだから、しょっちゅう川の流れが変わるんですよね。**川の流れがぜんぶ変わってしまって砂漠のようになっている場所でお金儲けをしようとしても、**もう水も流れてない所で、**魚釣

りしているようなもんですから。魚がいないに決まっているんです。

糸井　砂に釣り糸をおろすみたいな。

邱　今ちょうどそういう変化がきているから、その変化を読めないといけないと、ぼくは思っています。そういうことを、糸井さんのところのインターネットで連載中の「もしもしQさんQさんよ」の中では、なるべく具体的に書いていているつもりです。

それにしても、インターネットで読んでくれた人の反応を見ていると、結局、自分はこれからどうしたらいいのだろう？　と考えている人がとても多いように思います。

糸井　今はそれを、みんなが考えてます。

邱　その反応を見て、今、ぼくが糸井さんのところで書いている話はいつの間にか、就職の話に集中してしまいまして。

糸井　確かにそうだよなあ。みんな「どうしたらいいですか？」といっているし、勤めなおす人もたくさん出てきているし。今、邱さんが書いているものは、若い人が面白がりそうだもんなあ。

邱　結論からいえば、**今、日本中でいちばんいいと思われている会社に就職して**

は、いけないんですよ。その会社だって、二十年前にはいちばんいい会社ではなかったのですから。その論理でいえば、今いちばんいい会社は、二十年後に必ずダメな会社になるに決まっています。そのへんのところで、また運命が分かれ目にきてしまう。

イ　依存をしていると、生きていけないですよね

糸井　安全を狙えば狙うほど、先とのマッチングがおかしくなるということですね。なるほど。そこで必要なのは、冒険心ではなくて、冷静な判断力ということなのですか？

邱　**冷静で客観的な判断も必要ですが、どうしても運に左右されてしまいます。**この間、秘書を募集していたときも、**「人間の運命は、どうなるかわかりませんが」**と但し書きをしているのですが、応募してくる人たちは、みんな、そこのところに引っかかるようなんですよ。

糸井　つまり、応募してくる人たちは、邱さんに自分の責任をとってもらいたいんだ。自分の運命を面倒みてくださいといいたがっているわけですか。

確かに、その一行があるだけで、「面倒はみないよ」と記してあるかのようにも見えますものね。

でも、**「面倒をみない」という文言**は、裏を返せばパートナーとして対等であるという邱さんの意見が書いてあるわけだから、その覚悟がない限りは、やっぱり、その人と組めないんですよね。

邱　なるほど、やっぱりみんな、あの文章に引っかかってますか。

私は本当のことをいったつもりですが。

糸井　その引っかかりかたは、例えば、とっても強く愛しあっているときには、「お前、ナベとカマだけでこい」といっても「はい」と答えたけれども、静かに親と相談したりすると「そんな所にいくもんじゃない」となるのと同じ構造ですよね？

要するに、その文面は、怖い目に遭うかもしれない、と先に脅かしているわけです。でも、**その覚悟は、仕事をするあなた本人が選んだことのすべての責任をとる、という意味では、ごくごく当たり前に必要なものだ**と思います。それは、やはり日本全体が変わっていかないとわからない部分もあるんだろうなあ。

今ぼくは「依存」という言葉にとても興味があるんです。依存をしていると、生きていけない時代なんだ、というか……。

例えば最近でいうと、木村拓哉くんが結婚をして「どういうつもりだ！」と怒っているファンがいるわけですよ。でも、よく考えたら、怒るも何も、あなたに関係ないじゃない？（笑）

この場合にも、会ったこともない人が木村くんに依存しているわけです。それと同じように奥さんに依存しきって、自分ひとりでは生きられないようなかたちをつくってきた人は、「私、あなたと別れます」といわれたときにボロボロになりますよね？　それは、旦那さんに金銭的に頼りきっていた奥さんもそうです。年金は減っていくし手に職はないしで、ゾッとしている……。

そういう依存の例をたくさん見ていると、自立というものの難しさと重要さを、改めて感じますよね。だから**実は、自立をしていないと、本当に生きているかい甲斐のないところまで落ちちゃうぞ**、と、そのくらい脅かしても、いいのかなあ？

邱さんは、だから採用する前に、依存するなよと書いているんですよね。

Ⓠ人を採用するのは、怖いです

糸井　でも、かといって、血気盛んに「土下座してでも泥水すすってもついていきます」と述べるやつは信用できないと思う気持ちも、ありますよね？

邱　あまり期待されると、その反動がきますからね。

糸井　そのへんが、人を採用するときには怖いですよね。そういう見極めみたいなものって、あるんですか？

邱　ぼくは、面接をひとりにつき一時間半かけているんです。

糸井　はあ。

邱　一〇〇人も応募があったけれども、そんなにたくさんの人は面接できないですよ。

糸井　結局、ひとつの募集で何人の面接をなさったのですか？

邱　一〇人くらいだったかなあ？
でも、その人たちは何もぼくのところで働かなくてもいいんですよ。そういう人たちに合った仕事を、別のところに世話してあげられれば、それでいいと思っています。例えば、ユニクロでも無印良品でも、経営者がみんな、「これから将来外国で仕事をすすめるためのスタッフを必要としているのに、人材に困っている」という話をぼくにするし、面接にきた人は、外国で働きたいけどチャンスがないという。そこを**ぼくがとりもつくらいのことはできます。**

糸井　そういうのって、邱さん、仕事じゃないですよね？

邱　広東語で**「ひよこの仲人」**というんです。**ブローカーでもお金にならないブローカー**です。

糸井　邱さんに対して、いつも思うことがあるんですけど……。本を出すことって収入としてたかが知れているから、本を書いて稼いでいるわけでもないし、そのブローカー業も、「職業」じゃなくて、でも趣味でもないし……。こんなにお金のことをたくさん考えているかたが、お金を無視してる行動を、たくさんとってらっしゃいますよね？

邱　面白ければいいんですよ。

㋑ 邱さんの提案を断ったんですけど……

邱 うちのかみさんは、お金にならないことをやっているのがいいというんですよ。もうあんたは今ごろお金があったたって、しょうがないんだから、って。人と人のつながりができて、将来、大きな仕事になっていくという、かなめのところにあなたはいればいいんじゃないですか？ と。

糸井 「大きな仕事になっていく」という話は、いつでも「かもしれない」ってことですよね？ 大きな仕事にならないかもしれないわけで。

邱 **大きい、小さいは別として仕事にならないものにかかわることは少なくなってきました。**あれこれ失敗してみると、だいたい、事業ができるかできないかわかってくるものです。

糸井 かといって、そういうブローカーのようなことを、仕事のためになるからとか、腹にイチモツを持ってやっているわけでもないんですよね？

邱 人に喜んでもらえればそれでいいんですよ。

糸井 まず、「ああそうですか」と話を聞いてみて、「そうか、じゃあ、ぼくのところで働くよりも、あそこに行ってみたらどうですか？　紹介しますよ」と、やってるわけですよね。

つまり、自分のやってることとも重なっている部分があるんですけど……ぼく自身としては、邱さんから、「ほぼ日」で『もしもしＱさんＱさんよ』の出版宣伝の広告費をとったらどうですか？　と提案されたときに、「今はやめときます」といったんですよね。

でも実はあれ、度胸がいったんですよ。俺なんかが、お金儲けの神様にいわれたことをお断りするんだから。

でも、あのときにぼくが思ったのはどういうことかというと……。

どのくらい広告費がもらえるかっていっても、まあ、山ほどくれるはずはないわけですよね？

本というのはとても安い商品だし、たくさん売れるものでもない。だから、どんなに出版社が間違って多くくれすぎたとしても、たかが知れています。

しかも、お金にしてしまったことによって「こういう大きさの広告にしてください」「いつまでに出してください」というようなことを相手に決めさせてしまったら、邱さんのページに他人の力が見えてしまうと思ったんです。

だったら、その分は他のことで自分が稼いでいくほうが早いなあと考えて、そこで「お断りします」といいました。

★林が深ければ鳥が棲む。水が広ければ魚が泳ぐ

糸井　ぼくが動かされたのは、そのあとの邱さんの行動に、なのです。そのあとすぐに、邱さんがぼくに書を持ってきてくださいましたよね？　五枚か六枚の書を「どれがいいですか？　好きなのをどうぞ」とおっしゃられた。

「林深則鳥棲
水廣則魚游」

この「林が深ければ鳥が棲む。水が広ければ魚が泳ぐ」という内容の漢文の書が、ぼくにはものすごいメッセージに見えたんですよね。
このあいだお断りしたことと、この書を持ってきてくださったのは、もしか

したら邱さんの中でもつながっているんじゃないかなあと思えたので、あれをいただいたときには、うれしくて泣きそうになりましたよ。

邱　あれは、心が広いというか、大きな器でないとダメですよということなんですよ。

糸井　やっぱり、そうですよね？　何になるか知らないけれど、森は自然に深くなっていくし、鳥が棲んだときには鳥に食べられる芋虫も出てくるし、鳥を狙うワシもくるし……。

そう考えたときに、例えば「ほぼ日」というぼくがやっているホームページに対しても、「にぎわいそのものが、ポテンシャルであって、しかも価値なんだから、あなたは自信持ちなさい」というメッセージにも聞こえて……。

邱　その通りです。広告を展開するならもうしばらく待ったほうがいいということは、ぼくもよくわかっているから、糸井さんに「それは、まだやめておきます」といわれたときにもすぐに「あ、そのほうがいいですね」といったんですよね。

糸井　はい。

「ほぼ日」の資金がそんなに潤沢ではないことは確かですから、それを思いやって広告の話を持ってきてくださったと思うのでとてもありがたかったですよ。そしてそれ以上に、そのあと書を持ってきていただいて、大人になってから久しぶりに「ああ、持つべきものは、いい先輩だなあ」と思わされました。

さっき、邱さんも仕事にならないことをやっているとおっしゃっていたけど、それはつまり、あそこに書いてある林と鳥、水と魚の関係みたいなことを、邱さんご自身もずっとやっていらしたんだなあと思わされて、心を打たれました。

Ⓠネットバブルで儲けている人は世間知らずが多いです

糸井 最近、インターネット起業みたいなことがたくさん起こっていて、おそらくそのうちのほとんどのかたと、邱さんはお会いになられていると思うのですが。

邱 まあ、それほどでもないですよ。

糸井 そうでもないんですか。

じゃあ、一般論としてなんですが、ネットバブルについて、どう思われますか？

やっぱり、ハタから見ていると、そりゃあ無理だろう？　ということがどんどん起こっていて、現実に無理なんじゃないかと思っていたところで、案の定、無理をきたしていますよね。邱さんはあのバブルをどう見ていたのですか？

邱

今、インターネットで仕事をしている人は、世間知らずが多いですから。

自分たちが、たまたま技術的にインターネットと関係あるところにいただけで、世の中の仕組みを、ほとんど知らないから。

ぼく自身は、インターネットなんて死んだ後のことだと思っていたのですが、なかなか死なないのと、インターネットが浸透するスピードが速いので、一九九九年ぐらいから、これはいっぺん勉強しなきゃいけないなあと思うようになっていました。

そのときに糸井さんに会って、インターネットとはこういうものだと説明してくださったのを聞いて、「ああ、糸井さんのところに載せてもらえばいいなあ」と、お会いした次の週から連載をはじめることにしたんです。

糸井　あの速度はものすごかったですね。

★「ほぼ日刊イトイ新聞」に邱さんが登場したいきさつ

糸井　知らないかたのために、ぼくと邱さんの関係を説明します。

「インターネットというのを知ってみたいのですが、自分でやるには、どんなことが必要でしょうか？」

と邱さんが以前に食事しながらおっしゃっているのをお聞きしてて、ぼくはすでにはじめていたので、どれほど大変かということをいいました。

「インターネットでの技術が進んでいるけれど、実際は人を相手の仕事だから、人に対するサービス業を無限にやり続けることになります。だから、自分でおやりになるとしたら、それを専門にするための人をひとりやふたり雇っても間にあわないくらいに大変になります」

邱さんに質問をしたい人は山ほどいるだろうし、その上で、どうやってそこにお客さんを呼ぶかまでを考えていたら、一年間経ってみても、「何でやったんだろう？」と思うくらいのものになってしまいかねないわけです。

「設備に関するお金はそんなにかかるものではないけれども、その労力のコストというか、人を見つけるところからはじめたら本当に大変だと思います。だけど……ぼくのやっている『ほぼ日刊イトイ新聞』は、長屋みたいな構造になっていますから、もしお知りになりたければ、うちのサイト中の店《たな》子《こ》として入ったら、どうですか？　ただし、うちは筆者の誰にも一銭も払っていないですけども。もしそれでもよければ……」

そうぼくがいったら、邱さんは即座に「ああ、そうですか」とおっしゃって、何だか一気に連載がはじまったんですよね。

当時、ぼくがたずねられてお話をしたのは、「インターネットがある種の大きなサービス業だ」ということで、そこを邱さんがすぐに「やっぱりね」という感じでとらえてくださいました。だったらどうやろうか？　という打ち合わせにもう入っていきましたもん。

「パソコンは触らないけれども、ＦＡＸはどこにでもあるし、ぼくは毎日書くことは苦痛ではないですから」

「書けるときにためておいたものを送って出したらいいじゃないですか」

つまり食事している最中の十五分くらいでそれがぜんぶ決まって、連載開始になりました。で、三日後にFAXで原稿が届くという、そういうスピードだったんです。

邱　掲示板みたいなホームページもたぶん誰も見ないものだとぼくは感じていました。インターネット上を覗いてみて、毎日何かお客さんのほうが興味を持つものが載っていないとなりたたないと思っていたんです。だから人が興味を持ってくれたことを毎日書こうやと思っただけのことです。どういう手ごたえがあって、読む人が何を感じているのかについては、いくらぼくでもはじめずにはわからないから、まずは短い文章で書いてみて、何が書いてあるのか相手がよくわかってくれれば、と思ったのです。話題は多くの人が共感を持ってくれるものがいいし、文章というよりもおしゃべりの延長線上でやろうと決めました。直にしゃべっているようなものだから、話はどちらに飛んでもいい。とにかく、相手の人とつながっていればいい。

糸井　そういうことも、邱さんは、はじめてすぐに、一気にわかったんですよね。

㋑「ほぼ日」はポテンシャルだけありまして

邱　インターネットに書いてみると、たちどころに反応がきます。どんなに大きな新聞や雑誌に書いていても、どう読まれているのかぜんぜんわからないので、それに比べるととても面白いと思いました。若い人が次々とメールをくれるし、「糸井さんのために年輩の読者をつくってあげましょうといったけど、これじゃ糸井さんのお客をとっているみたいですね」と書いたら、「私は六十五歳の婆です。邱さんは『若い人しか読んでいない』というけれど、私も読んでいます」と、すぐに反応がありました。

eメールの反応のしかたを見ていると、多くの人がどんなことに関心を持っているかに、気がつかざるをえないんですよ。

こういう反応が従来の雑誌や新聞とどう違い、またどうかかわりあいになるのかも気になるし、やってよかったと思っています。糸井さんは「ほぼ日刊イトイ新聞」を、とうぶんは水道の水を流しっぱなしにするように無料で流すといっているけど、これはどこかにくると、採算的にも突然なりたつようになると思っています。

今、すでにぼくの耳に入っているところでいえば、日本のインターネットの中で広告価値のあるもののうちのひとつに入っているんですよ。

糸井 そうでしょうね。なんちゃって。

邱 このところ、新聞や雑誌でもテレビでも糸井さんのインターネットのことがよくとりあげられるようになりましたね。飛行機の中で週刊誌や新聞をひろげると、糸井さんの話がいっぱい出てくるようになっていますもの。

あるとき、突然、垂れ流しになっていたのが止まっちゃって、予想もつかないようなかたちで、お金が儲かるような可能性があると思いますよ。

「ほぼ日刊イトイ新聞」はポテンシャルだけがありまして。

糸井 要するに、元気な童貞なんですよ。よく立つんだけどさあ（笑）。

それにしても、邱さんがその仕組みにものすごい早い時間で、まずは最初の十五分で予感を抱くかたちでわかってしまったことに、ぼくはものすごく驚きました。原稿料をもらうという従来なら当然の前提も簡単に吹き飛ばしてしまって、「ああ、そうでしょうねえ。はい、わかりました」とおっしゃる、そのスピードがすごかった。

Ⓠ思ったらすぐにはじめます

糸井　そのあとすぐに邱さんから聞かれたのが連載の字数のことで、その聞きかたもものすごく実際的で的を射ていると思いました。

「たぶん、だいたい八〇〇字くらいですね」

「そのくらいでしょうね」

そこから連載がはじまったわけで。連載がはじまってからが、また、かっこよかった。

「ぼくはあちこちに出張していまして、そのつど気が向いたときに原稿をＦＡＸで送りますから、そちらのほうで好きなように使ってください」

北京や台湾から、じゃんじゃん原稿をくださる。邱さんは、インターネットを使う前から、すでに最もインターネットの下地があったんだろうなあと思いました。いちばんインターネットに触らないでインターネットをうまく使っている人の例として、ぼくは邱さんの話を列に出すことが多いんです。邱さんはパソコンこそ使っていないけれども、インターネット的な原稿の書きかたなり送りかたなりを誰よりもしています。

みんながインターネットをやっているように見えるけれども、その実は、例えば図書館に行く代わりだとか、せいぜいハガキの代わりにしているとか、そういう程度が大多数なわけですから。

そういう代替の利くやりかたではなくて、国際性があって、フラットな構造の中でものを書けて……邱さんの使いかたこそが、インターネットの持つ可能性のまんなかに触っているような気がしたんだよなあ。機械には触れていないのにそれができているって、すごいことだと思います。だって、今でも邱さん、偉いか偉くないかっていうことをぜんぜん無視して、他の筆者である例えばひとりのふつうの女子大生と対等に戦っているわけです。フラットですよねえ。

それから、インターネットの持つ大きな可能性のひとつに、リンクするということがあると思うんです。ただ単に書いて垂れ流すだけではなくて、リアルな世界で何かをやったらそれをいつでも吸い上げて、リンクを貼って、情報をもういちどフィードバックさせるというのがとても重要だと考えているんだけど、邱さんはまさにそれをやっていて、連載中に現実にいとも簡単に

邱

リンクを貼って、

「よかったら、今日のコラムで書いたことをしに、私の事務所にいらっしゃいませんか？　電話ください」

平気で電話番号を書けるんです。

その思い切りのよさには、改めてびっくりしました。その上に、書いていることはいつでも実験的だし、反応に従って話題を変えていくし……。だから、はじめるときにはどんな人が読んでくれるのかがよくわからなかったのですけど、邱さんを知らなかった世代の、若い読者をどんどんつかんでいったわけで。

私が「秘書がひとり欲しい」と書いただけであれだけたくさんの問いあわせがあったでしょう？　それで、ああ、これはもしかしたら、日本だけではなくて世界的にやれるようにしたほうがいいのかもしれないと感じまして、とうとう何が起こったのかというと、ぼくは台湾のリクルートのようなインターネットページで、先月から中国語で連載をはじめたんですよ。

Ⓠ中国語で顧客を増やします

糸井 あい変わらず、動きが速いなあ。
中国語でお書きになるのですか？

邱 実際にはぼくは日本語で書くほうが早いので、日本語で書いたものを翻訳して、その台湾のネット雇用のページに載せるという仕組みにしています。
インターネットには、言語の障害がありますでしょう？ その言語の障害をどうやって乗り越えるかという実験を、ぼくは今、やっているんです。

糸井 それは興味あります。

邱 例えば海外に支社を持って顧客を増やすということをいろいろな会社がしていますけれども、それは日本語だけで展開している限り、六〇〇〇件や一万件どまりですよ。それ以上増やすのは無理です。ところが、**もし中国語でやれるとなれば、更に何万も何十万も顧客をつくることができます。**いずれ、誰かからそういうことをやろうと頼まれるだろうと思って、まず、台湾のインターネットで実験をはじめたんです。

糸井　その話がどうなったのかも、今度、聞かせてくださいね。

邱　例えば、今、糸井さんのやっているものだって、もちろん日本でもお客をどんどん広げていくことはできますけれども、その広げていくプロセスで、今度は国際的にどうやっていくのかということが、必ず起こってきますよね？

糸井　起こりますね。

Ⓠぜんぶ自分でやらないとダメなんです

糸井　邱さんって、たくさんの人間を動かしているわけじゃないんですよね？　秘書のかたに、まず「こういうことをやってみたいんだけど」と仕事をふりわけるんですか？

邱　ぼくの周囲の人だってぼくが考えていることを、ぜんぶ消化できるわけじゃないですよ。

糸井　ああ、そのへんは面白いなあ。聞きたくなりました。

邱　例えば古本屋に行くとしても、ぼくが自分で行かないとダメなんです。「こんなような本を探してきてね」といっても、ダメですね。具体的にアポイントメントをとってくれとか、いつの飛行機の切符をとってくれとかいったことなら、確かにやってくれますけれども、ぼくが何を考えているのかについては、何でも理解してもらうわけにはいきません。

例えば、昔、ぼくが書いた小説で『女の国籍』というのがあります。日本人のひとりの女性の一生が、半世紀にわたるアジアの歴史そのままになっているような小説を書きたいと思ったことがあります。

日本の人が台湾の人といちばん早く融和する方法は結婚だということで、台湾の有力者の家に日本人の娘を嫁にやるというところから話がはじまって、嫁に行かされた女の人が、中国へ渡って、馬占山《ばせんざん》工作から杜月笙《とげつしょう》工作にまでかかわる話ですけれども、当時、ぼくはまだハルピンにも行ったことがなかったし、上海や北京がどうなっているのかもわからなかった。

その頃の、上海や北京がどうなっているかは、本で調べるととても役に立つのですが、秘書にはそんなことまではわかりませんよね。「上海について知りたい」といっても、ぼくが小説の中で上海の何をどう知りたいのか微妙なところは、わかってもらえないでしょう？　結局は自分で神田の古本屋街をわたり歩いて人が見たら何の役にも立たない本を両手に抱えこんで帰ってきたことが何回もあります。

いくら説明してもぼくの狙いがわかってもらえないから、結局は自分でやるより他ないんですよ。

第3章

人間・邱永漢が知りたくなります

Ⓠ 銀行には頭を下げられませんでした

邱 戦後の日本は、ヤミ屋全盛の時代がありましたね。それが、四十年前ぐらいから、ものをつくってちゃんと売れると、お金の儲かる時代に変わりました。
その時代には資金をつくることがとても難しくて、銀行に行ってお金を借りるより他にしかたがありませんでした。企業家はみんな、どうやって銀行との関係をよくするかに神経を使っていました。それがバブルの発生によって逆転し、最近では、銀行が将来性のあるベンチャーを探すのに一苦労しています。

糸井 銀行から借りなければならない時代には、ある意味では、銀行の価値観にあわせて生きるみたいなことが必要だったし。

邱 ですから企業家は、**屈辱**を味わわされています。

糸井 なるほどなあ。邱さんも、そういう銀行によって屈辱を味わっていたんですか。

邱　それがダメだったんですよ。プライドがあってとてもつきあいきれなかったから、お金を儲け損ないました。

糸井　そこの話をもっと聞かせてくださいますか？

邱　仕事を大きくしようと思ったら、資金が必要でしょう。今みたいに簡単に上場できない時代でしたから、資金を調達するのには、銀行に借りにいくより他に方法がありませんでした。でも、銀行の人は先の見える人じゃないでしょう。

糸井　わかります。

邱　にもかかわらず、どうして銀行が経済の発展に役に立ったかというと、金の儲かるところに金をふりむけたからなんです。反対に金が儲からないところには、だんだん貸すのをやめていったから産業界の選手交替を促進する役割をはたしたんですね。
例えばダイエーならダイエーがどんどん伸びていくときは、銀行は、ダイエーに金を貸してくれる。すると、結局は伸びる会社に貸しているかたちになって、日本の産業界が大きく伸びました。
あの頃は、一流会社の社長たち、正月になるとまず銀行にあいさつに行っていたんですよ。

糸井　「あなたたちのおかげです」って？

邱　銀行の頭取のものでもないんですけどね。

糸井　そうですよね？　それによく考えたら、**銀行の商品はお金だから、それは借りてくれなければ意味がないはずなのに、サービス業としてはお客とお店が逆転していたんだなあ。**

邱　当時は、借りる人のほうが多かったから。

糸井　あ、そうか。

邱　当時のぼくは、日本の国は経済が発展すればするほど、土地が値上がりして、お金の値打ちが値下がりするということに気づいていたんですよ。あの頃、銀行からお金を借りて、土地を買った人がいちばん金持ちになっています。

土地を買うには銀行からお金を借りなきゃいけないでしょう？　そのためには、銀行の人と一緒に飯を食ったり、ゴルフに行ったりしなきゃいけなくて……ぼくには、それができなかったんです。

糸井　なさらないで今までこられたわけですね。

邱　少し社会的に名前を知られるようになって、そういう人たちとつきあえるようになってから、やっとお金が借りられるようになりました。でも、頭は下げていないんですよ。あのときに頭を下げてうまくつきあっていたら、たぶん今の一〇〇倍も金持ちになったでしょうねえ。その代わりバブルで吹き飛んでいたかもしれませんが。

糸井　邱さんの話、**ぜんぶ生身**だから面白いですねぇ。

㋑ 邱さんのご両親はどんな人でしたか？

糸井　ご両親の育て方みたいなのが、こういう人をつくったのかなあ？……ぼく、邱さんという人物の「発生」にものすごい興味があるんですよね。

邱さんがこうなられてきているのは、ご自分でなんですか？　それとも……。

邱　ぼくは、父親が台湾の人で母親が福岡の人で。うちのオヤジは台湾の人ですから、日本の学問を受けてないですよ。

うちのおふくろは、大正時代に専門学校を出てます。女学校を出て、その上をまたやってます。だから兄弟姉妹揃って日本の大学にやらされたりしたのは、おふくろの影響ですね。オヤジのほうは、商業学校でも卒業して早く自分の手伝いをしてくれたほうがいいと思っていたのに。学校の先生に「お前は台北高等学校の尋常科に行け」といわれたんです。そうすると大学まで行かなきゃいけなくなるわけですから、オヤジはものすごく悲観してました。

糸井　**「人手が足りないのに、あいつは大学まで行くか」**って（笑）。

邱　大学に行くとなると、家業などなかなか手伝いをしてもらえなくなります。結局は何にも手伝わないことになってしまいました……。オヤジの仕事なんか、できないですよね。

糸井　邱さんは、お金のことをしゃべっていても、何というか……**キレイ**じゃないですか。汚いことをしゃべっている気がしないです。そのへんの律というか道徳というか倫理というか、そういうものの土台は、やっぱりご両親からなのですか？

邱　母親でしょうね。

「人間は、懐にお金がいくら入っているか、わかるような生活をするな」

と、子どものときから母親にいわれて育ちましたもんね。

その頃、ぼくらの生まれた町にきている日本の人たちは、だいたいサラリーマンでしたから、購買部というところからツケでものを買っていました。月給日になったらその代金を払うという生活をしていました。

ところが、うちのおふくろなんかは、使うものを一年分、正月の大売り出しのときに現金でぜんぶ買っちゃっていました。

月給日が近づいたらカレーライスとそばだけにして、月給もらった途端に大酒飲むような財布の底まで見える生活をするなとよくいわれました。

月給日が近づこうがそうでなかろうが、ぜんぶ同じ生活というようにしないといけないという考え方は、今に至るまで実行しています。

糸井　おお！　すでにそのお母さんに、そういう**「一年分」みたいなアイデア**が。

イ　やっぱり、「ひながた」はあるんだなあ

邱　うちのおふくろにいわせると、
「人間、お金儲けはいつでもできる。だけど教育は一定の年齢しかできな

い。だから教育を受けられるときにお前たちのために、お金を払ってあげる。ただ、自分たちとしてできることはそこまでであって、それから後に、自分でどうやってお金持ちになるのか、出世するのか、どうするのか、というようなことは、自分で考えることだ」というんです。

糸井 それはやっぱりそうとうな影響だったですよね？

邱 台北の高等学校へ行ってたときの一か月分の下宿代は、食料費も入れて二一円でした。それで、他の人たちはだいたい三〇円ぐらい仕送りしてもらっていました。だけどぼくだけ一〇〇円でしたからね。……その代わり次の月は送ってこない。お金がなくなりそうになって、家に手紙を書くと、また一〇〇円送ってきてくれるんです。寮の掲示板に誰にいくら送ってきたか書き出されましたから、ぼくの家なんか大金持ちに見えたんですね。

糸井 なるほど、すでにもう、そういう教育を受けてたんですね。

邱 人間は懐にいくら金が入ってるかが見えたらいけないというのは、おふくろの教えだったんです。

糸井 自分にも見えないくらいでないといけないということなんだ。お母さんの存在は、はじめて聞きましたよ。

聞いていると、母型というか「ひながた」のようなものって、やはり、まったく空中から出てくるもんじゃないんだなあということを、つくづく思います。

最近、ロックスターの矢沢永吉と長く話したんですけど、彼のしゃべっている内容は、邱さんのおっしゃることとそっくりなんですよね。彼はそれこそ本当に貧しい生い立ちですが、今は三十数億円の損をするようなだまされかたをしたところまで登りつめまして……。

自覚を持った大人として生きて、ぶつかっては迂回して曲がり、険しいところを登ってきた人というのは、やはり似るなあと思います。

彼は本当に貧乏な家の子として生まれて、両親とも早くに死んじゃったので、おばあちゃんに育てられたんです。親戚が一応あって、「うちにくればいいじゃない？」といってくれる人がいたらしいんだけれど、彼とおばあちゃんはそこには行かなかった。

「そこに一週間もいたら、どんなに親切な人でも、変わってくる。永吉のことを粗末にしようと思わなくても自然にだんだんと粗末に扱うようにもなるし、お菓子ひとつ分けるときにでも、自分の子どもと永吉がいたら、何かを考えるもんだから……」

そういうようなことを、おばあちゃんが彼にきちんといって、幸い永ちゃんの父親の残した小さな自転車屋があったから、そこに住むことにしたらしいんです。

おばあちゃんは、市役所か何かの草刈りのバイトをして、月にいくらかずつ稼いでいた。

「ばあちゃんひとりで、これでお前を育てることにした。**人に気をつかうぐらいだったら、お金が少なくても、こんなに楽しいことはないんだよ。人の世話になって、もしかしたら自分が嫌われているかもしれないとか、追い出されるかもしれないとか思いながら生活するよりも、ずっといいんだよ**」

ちっちゃい永ちゃんに、おばあちゃんはそういったんだそうです。

ときにはストレス解消のために飲み屋に行っているおばあちゃんを迎えにいって、小学生の永ちゃんが、おぶって家に連れて帰ったりしていたんですよ。

「あれがあったから、今の自分があるんだ」

永ちゃんがそういっているのも、やっぱり、自分ひとりで得たものというだけじゃない気がしました。そのおばあちゃんがいなかったら、きっと、世話のなり方とかを覚えちゃっただろうから。そこのところで、邱さんのお母さんのお話と、妙にリンクしましたね。

Ⓠ お金をたくさん持つと苦労が多いです

邱　そういう話は、身内の中でも起こるんですよ。中国の言葉に**「遠くにいる息子よりも、手元にあるお金」**というのがあります。

また**「長患いに親孝行息子はいない」**というのもあります。どんなに親孝行の息子だとしても、おふくろさんやオヤジさんがいつまでも寝こんでいると、そのうちにだんだん粗末に扱うようになっちゃうんですね。

糸井　それが人間のもろさだし、弱さですよねえ。

邱　ぼくがずっと**「呆けないうちに死んだほうがいい」**と自分に対していい続けているのはそのためなんです。

ぼくには字の趣味があって、自分の気に入った文句を中国の有名な書家に書いてもらいます。この前さしあげた「林深則鳥棲」というのもそうですが、**荘子に「富則多事、寿則多辱」というのがあります。「金持ちになるとトラブルが多い、年をとると恥が多い」という意味**ですが、私にとっては両方とも身につまされる話ですね。

金持ちになれたらいいなあと思うのは、間違いなんですよ。お金持ちになると、人が自分の金をとりにくるんじゃないか、狙われるんじゃないか、だまされるんじゃないか、と思わされるし、それに、お金が多いことから起こるトラブルは、実際に山ほどありますからね。だからお金のある人は、そんなに幸せではないんです。

糸井 その話を金が「欲しいな」と思ってるときにされても、**みんな、聞きゃあしないでしょうね（笑）。**

邱 （笑）これは実際に体験した人でないと頷いてくれませんよ。いっぺん金持ちになったらわかるし、いっぺん年とってみりゃわかることって、あるんですよね。**その経験をしたことのない人にその話をしたってしょうがないでしょうけど。**

糸井 ははは。

邱　「寿則多辱」を書家に書いてもらって北京にぼくがとりに行ったら、ギャラリーにきていた人がそれを見て、首を横に振って帰っていったそうですよ。**「何でこんなことをわざわざ書かせるか」**といって。みんなふつうは「長く生きるようにしよう」とか、そういう風潮の中でわざわざ「長く生きたらろくなことはない」って書いてあるから（笑）。

Ⓠ ぼくの歴史は失敗の連続ですよ

邱　ぼくには今までに、一歩間違ったら生命をおとしていたという場面が、何回もありました。

「その割にはどうしていつもニコニコしてるんですか？　世の中で失敗したことがないようなお顔をしているように見えますけど」

とよく人にはいわれるのですが、ぼく自身振りかえってみても、本当に失敗の歴史ですね。

例えば私は、四十年ぐらい前に日本の国がどういう発展のしかたをするかを感じとって、渋谷に自分の本拠地をつくりました。今、渋谷は日本の中心地になっちゃったわけで、ぼくの事務所も自分の家も多少の不動産も渋谷に集中しているんです。人には「邱永漢さんは、先をよく見る目があって、財産もすごくありますね」とよくいわれるけども、ぼくからすれば、駅を降りて宮益坂を上がったところにあるぼくの事務所まで坂全体が、失敗の歴史なんです。

糸井 宮益坂が、失敗の歴史なんですか？

邱 あの坂を歩くと、**「ここはぼくが、一〇万円値切ったために買えなかったところ」「ここも二〇万円値切ったために買えなかったところ」というようなのが、上から下まで続いています。**今でこそ上から下までみんな高層建築になっていますが、うちの息子なんてバブルのときに「宮益坂に安い売りものがあるから、買わない？ ほんとは一億円以上するけど、七〇〇〇万円で売りに出ているから」というんですよ。どれどれ？ と一緒に見にいくと、「安いんじゃない？」という息子に、**「……ばか。あれ昔は一〇〇万といわれて買わなかった土地だよ」**とぼくはいって（笑）。

糸井 おおー。長い歴史ですね。

邱　宮益坂ひとつ歩いただけでも、ここもダメだった、あそこもダメだった、というのがずっと続いているんです。「一〇万円ケチらなかったら、これもぼくのものになってたなあ」というのが、いっぱいあって。宮益坂だけではなくて、そういうのが、アジア的なスケールで起こっているから、失敗の歴史でなくて何でしょう。

糸井　中国とか台湾だとかも、そうなんですか？

……すごいなあ。面白いわあ。

邱さんでさえ惑わされますか？

糸井　さっきの矢沢永吉が、ぼくと話していたときに、「惑わされるんだ」といういいかたをしているんです。やっぱり、「それは本当かなあ？」と自分でいつも距離を持ってものごとに接していないと、惑わされるというようなことをいっていました。

例えば、自分をとても高く評価してくれる人となら、話をしているだけで気持ちがいいですよね。そうすると、本当にやるべきかどうかとは関係なく、気持ちがいいというところでついつい仕事を引き受けてしまう場合がある。そういうものは、**「つまり、惑わされているんだ」**と彼はしゃべっていて。

邱　「四十にして惑わず」というのは、四十になったら惑わなくなるということじゃないんです。**四十になったら、惑うのは年のせいじゃないことがわかるということ**なんですよ。

糸井　邱さんでさえ、今も惑わされるんですか？

邱　年をとったら分別がつくようになるというのは嘘ですね。

糸井　振りかえってみて、四十超えてから惑わされたこともあるなあと思います？

邱　今だって、確固として生きているわけじゃないですよ。

糸井　そうおっしゃるのが、面白い。じゃあ、今の邱さんは、悟った立場で何かを書いているわけではなくて、つまり、文章にしたり語ったりすることによって、自分にもいい聞かせているってことなのかなあと思いました。

邱　ぜんぶ、自分にいい聞かせてるんですよ。

イ 今までどう惑わされてきたかを聞きたいです

糸井　ぼくの好きなタイプの人と話をすると、みんな自分に正直だよなぁと思わされるところがあります。自分が失敗した話も成功した話も、他人事のように語るんですよ。例えば、矢沢永吉にしても、彼が自分のことをほめてるときって、もう、他人事のようですから。

「永ちゃんは、スゴイよ」

そう自分でいうんだけど、**それ、あなたじゃん！**　ということを超えて、もう本当に本人の中でも他人事になっていて、だからこそ、面白おかしく自分について語れるんです。しかも正直に「俺はぜんぜん立派な人なんかじゃないよ」ともいえる。

ふつうにいわゆる「偉い人」といわれるような人は、どういえばいいのかなあ……何か、自分には一貫したものがいつも曲がらないであったんだぞ、というふりをするんですね。そういうところが永ちゃんにはまったくない。

例えば、永ちゃんがアメリカに渡ってレコード会社移籍でだまされたときに

も、

「それ、若いときだからだから天狗になっていてだまされたんじゃない？」

と聞いたら、

「ある。やっぱり、惑わされるんだよね」

というんですよ。

邱さんと話しているときにも「惑わされる」というようなことをよくおっしゃるし、それこそ邱さんが書かれた『西遊記』の中には**「妖怪から神様から ぜんぶが、実は人間の欲望が生み出した幻なんだ」**と書いてあるし……。その通りだと思うんですよ。

だけど、惑わされてすぐにどこかに行っちゃったわけでもなくて、惑わされて、失敗もしながら**「ああ、これは幻だった」というのをくりかえして生き残ってきた邱さんに、ぼくはぜひ、煩悩とか惑わされるってことについて、話を聞きたい**なあと思っています。

人には一〇八の煩悩があるそうですけど、邱さんにお会いしていても「この人は欲望がないんじゃないか？」と思わされるくらいに、今は惑わされることには強くなってらっしゃいますよね？　つまり、何度も惑わされてきて

「あ、これはまあこのくらいだな」という惑いの多寡がわかったんじゃないかとぼくは予想していたんですけど。

邱　まだ惑っているんですけど。

糸井　今までにもっと惑わされた経験をぜひうかがいたいんですよ。例えば若い人だったら、女もそうだろうし、女の向こうにある「女が考える欲望」に惑わされている場合もあるだろうし。
ぼくはこれまで邱さんが惑わされてきたことをお聞きして、そこに今の自分を見つけてみたいんですよね。
ジャンルでいえば、邱さんは小さい頃から利口な子どもだったのでしょうけれども、利口な子なら利口なりに自己過信とかで惑わされるところがあって……そういうスタートラインから、うかがいたいんです。

Ⓠ慢心している余裕がありませんでした

邱　ぼくの場合はね、**最初からぜんぶ逆境**でしょう。
いちばん難しい学校の入学試験を受けるときもぼくは台湾で生まれたから、

同じ席に座っている友だちより、ハンディキャップがありました。**いつもそのハンディキャップを乗り越えることのために人一倍踏んばっただけのことですよ。**

糸井 自信という面でいえば人に負けなくても、実際に何をやってもハンディのおかげで人一倍踏んばったから、それが人より速く走ることになったのかなあと思います。夢中になって得意がることは、あまりありませんもんね。

邱 慢心している余裕がなかったんですか。

糸井 例えば、日本人の小学校に入って、ぼくが選挙で級長に選出されたら担任の先生が「台湾人に号令をさせたら日本人が困る」といってぼくを副級長に格下げしました。

邱 はあ、やっぱりそういう時代があるんだ。

糸井 そして、副級長と入れ代わらされました。

邱 もう小学校から。

糸井 ぼくの通った台北高校は、高等官の卵扱いをされていましたが、ぼくは台湾人だから高等官にはなれないもの。そういうところにいつもハンディキャップがあって、そのハンディキャップが逆にぼくのエネルギーになっていました。慢心を防ぐブレーキになったし、同時に、逆境を乗り越えるための意地を育ててもくれました。

糸井　それが、邱さんの原点みたいなものなんでしょうね。

邱　そういうことがあったから、「人生は裏階段のほうが早くあがれるよ」という話になるのですが。

Ⓠ 権威を等身大で認めています

糸井　ふつうの状態で「自分は裏階段にいる」と思える人は、そんなに多くないですよね。**いわゆる一般の人たちは、邱さんなら「裏階段」にあたる戒めというかハンディキャップの役目をするものを、自分で探さなければいけないわけだから、これはこれでなかなか大変**だとも思いますね。

自分に能力があったりすると、能力のない人に対してのある種の優しさを失うだとか、慢心しきってしまうとか、小さい頃からそうなってしまう芽を抱えることになるんですから。

ふつうの親は「勝て、勝て」といいますし、そういう教育がずっと続いてきているでしょう？　だから、慢心しきった子どもというのは、ある意味では「リーダーになる資質」を失うように教育されているともいえるわけです。
だから、脱線しましたが、負債を負っていない人たちがどういうふうに先のことについて考えるのかというのは、それはそれでかなり面白いテーマだとぼくは思いました。いいやつとイヤなやつって、どう分かれていくのかに、ぼくはものすごく興味があるんですよねえ。
でも、ともかく、邱さんは慢心する余裕がなく育ったのがよかったんですね。

邱　その代わり、ぼくは、あまり世間の権威を認めないんですよね。社会が都合でつくり上げたランクなのだから、そこのいちばん上にいる人だって、そんなに偉いとは思ったことがありません。

糸井　そうかあ。そのランクそのものがまやかしだと見えるんですね。

邱　ただし、世の中がそういう具合にできていることに対しては、別に不満があるわけじゃありません。

糸井　そのスタンスが面白いですね。
「まやかしなんだ、これはウソだ！」

邱　と怒り出す人は、特にマスコミには多いですけども。
ぼくは、そういうものを等身大で認めています。
「ある」ということは認めるけど、すごい権威とは思わないだけです。

㋑奥さんがいいことというんですよねえ

糸井　お話はまた飛ぶんですけど、邱さんが苦境に陥りそうなときや、変化の兆しがあるときに、奥さんがすごくいいことをいうじゃないですか。素晴らしいですよね。

邱　ぼくが思い悩んでいても女房はあっけらかんとしています。お金がなくてもいいと思っているんですからね。

糸井　それは大事な相棒ですね。邱さんがお金にまつわる話をするのだから、実際にいろいろわかっている人なんだと思います。

邱　ぼくはお金のことでピンチになることが多いんですよ（笑）。すると、カミさんの出番になるんです。

糸井　で、結局、基本的には「どっちでもいいじゃない！」っていうわけですよね。


邱　それこそ全財産を失うような話をしても平気ですものねえ。

いつも、もうこれでダメだといっても、実際にダメにならないですんでいるせいもありますけれどね。

でも、もしものときにはお金はいらないといってくれるんです。


糸井　前に、**建築家の建築がダメになるのは、奥さんの影響が大きい**という話を聞いたことがあります。建築家の人たちは、**年をとって名声を得てくると、自分の奥さんの気に入るような建築ばかりをつくる**ようになるからなんだそうです。

そうなんだ、なるほど、と思ったので、

「そういうダメになるところから逃げ出せた建築家っているのですか？」

と聞いてみたら、要するに……**ゲイの人たちは大丈夫**なんだそうです。奥さんのほうには目が向かないから。

それはすごい話だなあと思いながら聞いていたのですが、建築家に限らず、**奥さんの規模とセンスにあわせられていくということが、男の人には割とあるみたいで、**意外と大きな問題なのかなあ、とも感じるんです。

サラリーマンでも、部長夫人になるとそれなりになってくるわけです。もし男のほうが「俺はもうこの部長の座を捨ててもいい」と決意をしなければいけないときに、「私はイヤ」といわれたら、動けないじゃないですか。そういうことって、特に会社員にはよくあると思うんです。だから邱さんの奥さんは、もともとすごくいい人だったのか、それとも関係の中で一緒につくってきたものでよくなっていったのか、そのへんも知りたいんですけど……。

邱　本人の資質とかかわりのあることでしょう……。

Ⓠ 結婚にも当たりはずれがありますね

糸井　その資質というのは、結婚するときに、見抜けるんですか？

邱　**いやあ、選べるものじゃないでしょうねえ……。当たりはずれがあるんじゃないですか。**

糸井　（笑）……**はずれる**、と。これ、**身も蓋もない**ですね。はずれる。そうですか。

邱　お金のピンチが訪れたときに、あんまり、欲とか意地の汚さが心の中に残っていると、困っちゃうんですよねえ。

糸井　はい。わかります。

一方で、こういう幻想もあると思うんですよ。

その欲とか意地の汚さがあるほうが、強くてたくましいから、生き残るチャンスが高いのではないか……とか。

奪いあう力の強いほうがいいように見えて、そっちに行きたがるという考えが世の中にはあるようにぼくには見えるんです。でも、そういう態度は貧しいですよね。

意地汚くしなくても大丈夫なんだってわかっていたら、みんなもう少しほっとして、ちょっとは違うようになってくると思うんだけど。貧しい時代のなごりなのかなあ、そういう感覚は。

邱　でも、**意地が汚いほうがお金があるようになるとは限らない**ですからね。

糸井　実際そうだ。

汚くて、負け続けるってこともありますよね（笑）。

……うわあ、**それせつないなあ**。でも、実際にそうだもんな。

邱さんの思想の根本には「人間は弱いものだ」とか、「ほっとけば、間違うものだ」とかがあると同時に、「社会というのは、必ずしも悪いものが勝つようにできてるわけではない」というのもありますよね？

邱　性善説も性悪説も、どっちも認めますよ。

糸井　えっと……あの、さっきのパートナーを選ぶことについてなんだけど、**さっきは「当たりはずれがある」という話でしたけれども、そこを何となく、独身の人たちに、多少のヒントをあげたい**と、親切なぼくは思ってしまうんですけど……（笑）。

邱　**何のヒントですか？**

糸井　**「結婚は、当たりはずれがあるんですよ」**っていわれて**終わり**にされると、なんとなくさみしいですから……（編集者に向けて）な、そうだろう？ほれたはれたっていっているときには何も見えなくなっていますから、「うちのカップルの場合はそのくらい何とか直るだろう」とか思いますよね。でも、直らない何かがあるんですよねえ。

Ⓠ結婚はダメになりかけていると思います

邱 昔からいわれているように、相性が大切ですよね。谷沢永一さんが書いていたけれども、昔の人はお見合いに行くときに、前の晩に色町に連れていってもらって、翌日の朝、もう女の顔を見るのもイヤというときに、お見合いに行って、それでも相手に好意を持ったら、結婚しなさいと……。

糸井 (笑)それも知恵ですね。

邱 愛情というより好みのほうが長続きするんですよ。理屈のあることだと思います。

糸井 生理的な欲望を一回棚上げして……。

あれ?

そういう意味だと、あんまり若いときの結婚っていうのは、間違いやすいかもしれないですね。

邱 でも今は若い人だけじゃなくて、**結婚という制度がダメになる時期にあるん**じゃないかと、ぼくは見ていますけれど。

糸井　結婚というよりは、ぼくは最近よく「つがい」という言葉を使うんだけど、つがいっていうかたちは、ありそうだと思っています。ひとりでいるほうが、かえって生きていくのが難しいという感じがあることはあるから。でも確かに、結婚ではないかもしれないですね。

邱　社会の制度は、その時代にあわなくなったら、どんどん変わりますよ。だいいち、人生八十年のときと五十年だった時代とはぜんぜん違うのですから。昔はやっぱりおたがいに喧嘩をしてもしょうがないから、**せめて娘が嫁に行ったり息子が結婚するまではガマン**をしていようといっていたんですね。そうすると、**ガマンしている間に死んじゃうから、問題は片づくんです。**今みたいに、それから後にまだ三十年もあったらね、誰もガマンしなくなっちゃいますよ。

糸井　まあそうですね。

邱　アメリカも日本も台湾も中国大陸も、みんなそうなんですよ。人生八十年時代が、昔の制度を壊しちゃったのかもしれないと思っています。そうした中で、パートナーと経済的にどうやるかということになると、それもまた考えかたを変えなきゃならないようになってきます。

もう、唯一変わらないのは「世の中は常に変わる」っていうことぐらいになってしまうんですよね。

㋑ 奥さんとどうお知りあいになったのですか？

邱 今だったら、夫婦であるより、パートナーであるほうが強いと思いますね。ひとりひとりが独立した人格を持っていて、それがリンクするというようなパートナーだと、インターネット的ですよね。以前のような、もっと依存関係がはっきりしていたときのような、依存を前提にしてできた結婚生活みたいなものが、壊れているのでしょう。

糸井 でも、今若いやつらって、結婚をしなくなっていますよね。自分に相性のいい人を見つける方法ってないんでしょうかねえ？

ええっと……これプライバシーですけど、邱さん、奥さんとどうやってお知りあいになられたんですか？

邱 ぼくね、香港に亡命して逃げて行って、人の家に居候してたんですよ。**そこのうちの隣の娘です。**

糸井　（笑）逃げてるときの隣の人⁉

邱　ぼくが人の家に居候をしていて、**それからちょっとお金儲けして、**少し金があるようになって高級アパートに引越してから前の家の隣のうちに連れていかれて、知りあいになりました。

当時香港には何でもものはありましたから、お金を持っていなかったぼくは、何でも自分でやっていたんですよ。

お金がなくて、ヒマだけありましたから自分で編みものをしてました。

糸井　邱さんが編みもの？

邱　自分のセーターもスカーフも、ぜんぶ自分で編んだんです。

居候していた家には犬が五匹いました。犬を散歩させなきゃいけないでしょう？　同じように居候してたやつがいて、そいつもやっぱり台湾から亡命してその家に転がりこんでいましたから、犬を連れて歩く係になっていましたよ。

ぼくは犬が嫌いだからダメだったんです。世の中には犬の好きな人と嫌いな人がいて、**別に理由はないんだけど、**ぼくは犬が嫌いで連れて歩けなかったんです。**居候していた家のアメリカ人の奥さんに毛糸の編みかたを教わって**

自分で編んでいたんです。

Ⓠ隣の家はクレオパトラの屋敷のようでした

邱　隣の家に娘が五人いたので、そこの娘を紹介してあげましょうと、人に連れられて行ったんです。

隣の家では、

「隣にいた男の人って、**犬を連れて歩いていた人のことですか？」**

と聞いたそうです。

「いや、そうじゃない。**毛糸を編んでいたほうだ」**

「毛糸編んでた人は会ったことない。犬を連れている人だったらいらない」

糸井　邱さん、当時は**「毛糸編んでたほう」**だったんだ（笑）。

邱　犬を連れて歩いているやつは隣の娘を何回も見ているから、ぼくに、

「隣の家の娘って、何番目に会うんだ」

「三番目みたいだよ」

「三番目よりは、四番目のほうが美人だよ」

でも四番目のほうはもうボーイフレンドがいるっていうことで……。うちのカミさんの家は、日本でいうと武田薬品みたいな家なんですよ。今でも咳の薬で全国的に名を知られています。私が連れていかれたときでもお手伝いさんが六人いてねえ。まだこんな冷房のないときだったから、飯を食うときには、お手伝いさんが後ろにいて、ふわあって、うちわであおぐんです。はじめて行ったぼくにとっては、**何だかクレオパトラの家に招待されたみたいで**、落ち着いて相手ができませんでした。

糸井　編みものをしてた人には、そう思えますよねえ。

邱　ぼくらはよそ者だから、土地の人たちに受け入れられるのは、なかなか難しいんだけど、まあうちのカミさんの家は、けっこう開放的でしたから……。ピクニックに行ったりすると、蓄音機をまわしてそこでレコードを鳴らして、息子や娘の友だちみんなで踊っているというような……。もう半世紀も前のことですよ。

日本や台湾ではそんなものはなかったけれども、イギリスの影響下だから、ヨーロッパのやりかたとかをけっこう受け入れていたんですね。

もしぼくが台湾で政府に反旗をひるがえして亡命をしていなかったら、そんなところにいるわけがないなと不思議な気がしました。いつもよく書くことだけれども**「人間には、どんな運命が待っているかわからない」**というのはほんとですよね。

イ 邱さん、あのう、さっきの奥さんの話……

邱　ぼくは何ていうか、いつも不平等とか差別待遇とか、そういうものがある世の中に生きていたから、差別待遇のないところへ行って住みたいと思っていました。おそらく魔の都といわれた上海がいいんじゃないかとひそかにあこがれました。

あそこなら租界であって、世界中の流れ者が集まるところでしょう？　大学出たらあそこに行こうかとひそかに考えていました。「上海」って言葉は、英語でどういう意味か、わかりますか？

誘拐することを「上海する」というんですよ。

船で上海に着くと、船員がてんでに逃げ出しちゃうんですよね。

すると船で働くやつがいなくなっちゃうから、船長がそのへんで若者をつかまえて、バーに連れていってぐでんぐでんになるまで酔わせるんです。その酔っぱらったやつを船の中に連れこんで、そのまま船出してしまう。それを「上海する」って呼んだんです……。そういう町にいて暮らせば市井《しせい》にかくれて目立たないで暮らせるんじゃないかと思ったんです。

糸井　実際にはその思い通りには、何ひとつ、ならなかったんだけど。

邱　香港にとどまったんだ。

糸井　だけど、上海を舞台に、小説は書きました。

……邱さん、あのう、さっきの奥さんの話、隣の家に招待されたところまで終わっているんですけど……。やっぱり何人も娘さんがいらっしゃったのだから、仲良くなる方法もあったでしょうし。

邱　それはねえ……。四番目は美人で女優になれといわれていて。

糸井　**三、四が候補**だったんですか？

邱　**あと、五は、まだ小さかったから。**

家内の家には、独特の娘の育てかたというのがありました。「どうせ嫁に行ったら苦労するから、家にいる間は、勝手にやらせろ」という子どもの育てかたと、「嫁に行ったら苦労するんだから、その苦労に耐えられるように、娘のときから鍛えておけ」という家と、だいたい二つあるわけですよ。カミさんの家は、「家にいる間は勝手放題にさせる」という家風でしたから、もう、昼まで寝てるし、台所に入ったこともないし。飯の炊きかたもわからなかった。

糸井 今、料理をなさっていますよね。

邱 料理というのは舌で覚えるもので、腕で覚えるものじゃないんですね。おいしい味を舌で覚えているから、すぐに上手になるんですね。食べてみて、まずかったら食べられるまで直すから。
そういう家に育つと、カミさんも自分の娘に対して同じ育てかたをするんですね。うちの娘も、ガスのつけかたも知りませんでしたが、嫁に行くとやっぱりあっという間に料理は上手になりましたよ。

Ⓠあるとき、突然ぼくは大金持ちになったんです

糸井 ええと、じゃあ、奥様とは、**だんだん親しくなって、自然に結婚されたと**いうことですね？　でも、もともとは、邱さんはある種の居候だったし、亡命

者だったし、そういうハンディキャップを抱えていて……。

邱　それがね、**あるとき、突然金持ちに**なったんです。

糸井　え？　まさか！

邱　香港に行ったときには、言葉も通じませんでした。香港の言葉は広東語、台湾の言葉は福建語ですからチンプンカンプンです。ポケットにも二〇〇ドルしか持ってなかったから。最初は、これからどうやって暮らしていくのか？　と心配していました。

友だちもいない。東大出たのが役に立たない……。香港で役に立つようなことは何も持っていなかったんです。今まで身につけたと思っていたことも、何一つ役に立ちませんでした。

その頃、人の家に居候していたら、闇の船に乗って日本からものを買いにきていた台湾の人が訪ねてきました。

当時、ペニシリンやストレプトマイシンやサッカリンは日本で、香港の一〇倍もしていました。金ののべ棒だとか米ドルだとかを腹巻の中にもぐりこませて、香港にくると、それを香港ドルに換えて今度はペニシリンやサッカリンを買って石油缶の中に詰めて、ハンダ付けをして、その上に表からまたゴムの袋にくるんで密輸していたんです。

日本に行く船は、まだ石炭を焚いていた時代でしたから、船員と結託して、そういう香港からの商品を船の中に積んで、その上から石炭をかぶせて隠しておきます。

横浜や神戸につく頃になったら、石炭の山の中からその荷物を取り出して、港ではＭＰ（アメリカ陸軍の憲兵）を買収して、見て見ぬふりをしているうちに岸壁からおろして外へ運び出します。

糸井　荒っぽい時代ですね。

邱　どうしても話がつかなかったときは、海の中に投げます。ゴム袋でプカプカ浮いていますからそれを船に拾い上げるんです。

京都から仕入れにきたその人を連れて、ぼくも広東語が片言しかできなかったのですけれど、その人よりはましだったから、一緒に買い物をしに行きました。

すると、その人は日本に帰る前に毛糸だとか服地だとかを買いこんで、ぼくに、

「すまないけれども、これを郵便で送ってくれないか？」というんです。

「何のためにですか？」と聞くと、

「日本ではこういうものは倍以上の値段がして、なかなか手に入らないのです」

「どうして郵便で送れるのですか？」

「占領軍は、外国の親戚たちが日本人を救済するために、そういうものを送ることを、一定量だけ許容しているんです」

それを聞いた途端に、だったら何もあぶない思いをして密輸なんかしなくてもいいのじゃないか。一包が一万円くらいの小包をつくって日本で二万円に売れるのなら、日本の友人たちの住所を使って、ここから郵便で送ればいい。

そう思って実際に**月に一〇〇個送ったら、毎月、一〇〇万円儲かりました。**

赤坂の土地が、一坪一〇〇〇円だったときのことですよ。

糸井　すごい！
面白いなあ。それ、まるで小説ですね。

邱　突然、〝風と共に去りぬ〟のレット・バトラーになったような気分ですよ。

糸井　さっきまでジミに編みものしてた人が（笑）。

邱　編みもの編んでいた家で小包をつくったんですから。

糸井　思えば、その大儲けのきっかけも、ただ単に「何で郵便で送るの？」とたずねた質問のせいですよね？

邱　ちょっとしたひらめきで人生は変わるんです。

糸井　面白いなあ。**居候でありながら、月に一〇〇万円の人になっちゃった。**

イ　鯉に餌やるみたいですね

邱　香港に台湾から亡命していた連中の中でも、ぼくがいちばん出色だったわけでもないのに、お金が入れば、世間の扱いはガラッと変わるものですね。

糸井　「金ってすごいな」と思ったのですか？

邱　同じ居候たちを連れて、一緒にナイトクラブに行くんですよ。ダンサーたちがみんな出てきて、一生懸命お客にお世辞をいうでしょう？

糸井　チヤホヤしてくれる。

邱　ぼくはそんなにカッコがいいほうじゃないし、ダンサー連中とうまく話をしたりしないほうだから、黙って坐っていることが多いんです。

ひとり、取り残されてお酒を飲んだりしていただけでした。ところが、**お勘定といったときに、ぼくがポケットからおもむろに財布を出したら、ぜんぶのダンサーがいっせいにそばに寄ってくるんですよ。もう、ダンサーはまわりのやつを誰も相手にしなくなった（笑）。**

糸井　**鯉に餌やったみたいですね（笑）。**

邱　それまではお金がなくて困っていたから、欲しいなあと思ったものも買えないで、毛糸を編むくらいしかできなかったけれども、車を買えるようになったし、香港でいちばんのイギリス人の洋服屋で服をつくるとか、いちばん上等の靴を買うとか……**一通りのことは、みんなやりましたよ。**

糸井　それは、二十四歳の頃ですか？

邱　二十六か七歳です。

糸井　それは、大転換ですね。

Ⓠ人と同じことをしていても意味がないんです

邱　そのとき、思ったのは、**東大で一生懸命に勉強したことは、何一つ役に立た**

ないということでした。

糸井　本当ですね。

邱　**ここの土地では、人に使われていたんじゃしょうがないし、人と同じことをやっていてもしょうがない。**

糸井　毛糸を編んでいた居候の兄ちゃん、犬の散歩はイヤだとかいっていた兄ちゃんが、小包のことを質問したのがきっかけで、ぜんぶひっくり返ったんだもんなあ……。今度は居候じゃなくなったんですか？

邱　二十六、七歳で金持ちになりましたから、近くの高級マンションに住むようになったし、車があるようになって、運転手もいるようになりました。当時はまだ自分で運転ができませんでしたから。

糸井　年号でいうと、それは何年ぐらいになるんですか？

邱　昭和二十五、六年頃かなあ。

糸井　日本も復興のきざしが見えてきて、足りないものがあった時代ですよね。

Ⓠいいことは長く続きません

邱　でも、ぼくはたちまち香港がイヤになったんです。どうしてかというと、**まず、いいことは必ず長く続かなくて……。**

糸井　**それも、太字ですねえ。せつないなあ。**

邱　金が儲かるとわかったら、たちまち競争相手がワーッと出てきて、儲けがなくなってしまいました。

糸井　小包を送るのは、どのくらい長く続いたんですか？

邱　二年ぐらい。

糸井　二年も続いたんですね。

邱　だから、二〇〇〇万ぐらいは儲けたかなあ。でも、たちまち収入がなくなってしまいまして……。

糸井　でも、それだけの大金持ちに急になっちゃって、それでも決して、いい気になったり、お金に酔っぱらったりしては、いなかったわけですよね。それは何でですか？

そのときに、それを支えたのは何だったんでしょうね。

邱　二十代のお金は残らないと聞いていましたので、浪費もしなかったのですが、いい気になる前に、また金がなくなったんですよ。

糸井 だって、二〇〇〇万入ったじゃない？　二〇〇〇万あったけど、そのうち、一〇〇〇万円は、うちの姉さんがチューインガム工場をひとつ買って、しかしロッテと競争して負けてぜんぶなくなっちゃった。

邱 あらま。ドラマチックですね。

糸井 そんなようなことで、もういろいろな目にあって……それでも、それなりの面白さがあってやったんだから、いいとは思っているのですけれども。

邱 いやあ、聞いていても本当にそう思いますね。どこかでうまく安定した軌道に乗らなかったことが、楽しみの原点になっているような気さえします。

糸井 安定を求める気持ちはありませんでしたから。

邱 どうせ続かないと思ってたから？

糸井 **続けばいいと思ったけど、続かなかったんですよ……。**

邱 しかたがないから、金があるときに買った香港の家を人に貸してしまって、その家賃を日本で暮らす資金に使って、小説家になる気を起こしたんです。

Ⓠ本は、お金儲けの役には立ちません

糸井　すごく面白い話ですねえ。そのときどきの不安は、なかったですか？

邱　不安？

糸井　……**いやあ、もともと不安の中で生きているんですよ。**

邱　もう慣れっこなんですね。

糸井　香港は、もともと不安なところですよ。

邱　そうか……。いざとなったら編みものもできるし（笑）。

やっぱり、そういう、邱さんがご自分の手で触ったりぶつかったりして学んだことだから、面白いんですね。**本で読んだことをそのまま言っているような話が、邱さんには何もない**ですからね。

自分の意見があっているかどうかというときに、邱さんは、本で確かめたりすることはあるんですか？

糸井　**本はそういうときには役に立たない**でしょう。

邱　……うーん。

ただ、邱さんはそうおっしゃってるけど、実際にはずいぶんたくさんの本を読んでらっしゃいますよね？　本を読みながらベースにある知的な部分というのはしっかり確保なさっていながら、なおかつ「本は役に立たないでしょう」という側面と、両方知っていらしたんでしょうねえ。

邱　知の欲望みたいなものは、なくてもいいとは思っていない方のように思うのですけれども。だって、漢詩をお詠みになるのも、別に東大で勉強したからやってるわけじゃないですから、おそらく、ぜんぶご自分で勉強なさったことですね。勉強に対するコストをとてもたくさん払っているように思えるんです。

糸井　でも、**お金儲けのヒントは、本の中にはない**ですよ。

邱　まず、お金儲けのヒントはないんだ。

糸井　でも、邱さんが本を読んだり、知的な好奇心を止められないっていうのは、それ、趣味ということなんですか？

邱　まあ、性格でしょう（笑）。

糸井　資質なんですか。ずいぶん勉強家ですよね。

邱　勉強家ではありますよね。ことに年若いときには、ペダンチック（衒学的《げんがく》）なところがありましたから。

糸井　そういうところはやっぱり、ご自分で正直にいわれるんですね。

邱　昔のぼくが書いた『食は広州に在り』を見たらもう、はじめからおしまいまで、漢学の素養がいかにあるかを一生懸命見せびらかしていますもの……。

糸井　今だったら、そんなことはしないでやさしい言葉で書きますよね。誰でもわかるように。その頃は、井上靖さんが正宗白鳥に「漢学の素養がない」なんて文壇で怒られていた時代ですから。

邱　つまり、人がそういう価値を持っているんだったら、自分はそこはクリアしてみようみたいな負けじ魂が……。

糸井　年の若い証拠みたいなものですよ。

Ⓠ本当にやりたいことで成功する人は少ないです

糸井　うーん。何て面白い話なんだ。

邱さんというと実用書の流れに組みこまれるか、それとも小説を書く人か、ということになるのに、ここではごく自然に、お父さんに話を聞くように聞けているから、わくわくしますね。編みものの話なんか、最高よ！　たまんないなあ。邱さん、お話面白いですよお。いつも、どこかで必ず、事実の中でつかんだものと符合する考えがあるから。

邱　今日のぼくはしゃべりすぎですよ（笑）。

糸井　くどく聞いたぼくも悪いんですけど、でも、邱さんの話って、いつも、そのつど隙間があるんですよ。その隙間がふっと気になるから聞いてみると、その向こうにまた隙間があるんです。**奥さんの話とか、結局、結婚のきっかけは謎だもんなあ（笑）。**自分の身のふりかたと、そこで学んだ何かの法則が、とても密着しているんだなあと改めて感じました。青春の冒険話として面白いです。でも、自分がいちばんやりたいと思ったことはできなかった。

邱　**自分が本当にやりたいと思ったことで成功する人は少ないですね。その次くらいと思って選んだことで成功したら、まあ「よし」としなければいけない**

ですね。

糸井　邱さんだと、本当は何をしたかったんですか？

邱　本当は台湾でアラビアのロレンスをやろうと思ったんですもん。

糸井　そういう、もとのもとがあるわけなんですね。

邱　それが、ロレンスになり損なって、金儲けの神様になりました。

糸井　台湾での亡命が原点にあることは、でもやっぱり叫びかたで、ぼくには通じます。

いつもニコニコ笑ってらっしゃっても、根っこに何かこれだけは守りたいというものがあるんだろうなあということは、わかります。

邱　妙な執着はまだありますね。

糸井　そこからは絶対どかないぞ、みたいなものを、感じます。

第４章

人生というゲームを生きるために

Ⓠ不思議なことに、いちばん底までは落ちません

邱　昨日も、ぼくのところに、今ピンチで悩んでいる人がたずねてきました。「今まで邱さんから本をもらっていても、ただふつうの本だと思っていたけども、この頃、キツくなってから読み返してみると、まるで自分のことが書いてあるんじゃないかという気持ちになるんです」

ぼく自身、人間がピンチに陥るときにどういう考えかたをするのかを、少しは知っていますからね。

具合が悪くなると、誰しもがクヨクヨするから夜も眠れなくなります。寝られないと、夜中にいろいろと考えるでしょう？

でもそこで考えて「よし、これでいこう」と思ったことなんて、朝起きたらぜんぶ役に立たないということを、起きてみると人間はまた発見するという仕組みになっています。

だからぼくは、『朝は夜より賢い』という本の中で、夜にクヨクヨと寝ないで考えるよりも、早く寝て朝になってから考えたほうがいいと書いていま

す。

糸井　**……まあ、実際はそういったってクヨクヨしますが。**

邱　クヨクヨすることは、するに決まってるんだ。

朝になって考えたことは、それでも実行のできることなんです。その感じは、例えば夜に書いたラブレターが恥ずかしくて読めない代物になるようなものですから。

糸井　**そうですね。夜中って締切がないから、いつまでも引きのばして、結論が後ろになっちゃいますからね。**

邱　苦境にいるときには「自分はもう奈落の底まで落ちるんじゃないか？」と、**具合の悪いときほど最悪のことを考えますよね。私自身もそうだったけど、でもそれが不思議なことに、いちばん底までは、落ちないんです。**途中、どこかに足がひっかかって、助かるところがあるんですよ。

糸井　**奈落って、意外に狭いんでしょうねぇ。**

邱　そしてそこから這いあがってくるんだけど。

Ⓠ心では泣いてますよ

邱　でも、そこから這いあがるときにも、どうやって這いあがるのかというと、**ああでもないこうでもないと自分で考えたり予想したのとは、まったく違うかたちで這いあがることになります。**

糸井　そうですね。

邱　だから、苦境にいて自分を助けようと思っていろいろと考えたとしても、その思い描いたかたちで助かることは、ほとんどないんです。**思い悩んでも、ある意味ではむだなんです。**

……と、そういうことを書いていたから、その人には昨日「どうして十五年も前にそんなことを書いたんですか？」といわれました。そういうことは、みんな半ば自分にいい聞かせるために書いていることですから、人に教えてあげようとかいうことではないですね。

糸井　そうなんですか。

邱　「たまたま自分が経験したのはこういうことだけど」といっているだけなん

糸井　です。

邱　邱さんの考えの中には、人間の脆さや弱さというのは、もうそれは前提だから、人は治らないものなんだよ、というメッセージがいつも入っていますよね？

糸井　たぶん世の中に起こっていることには、ぜんぶ理由があると思うんです。いらないものは、案外ないというか……。

邱　愚かな総理大臣がいるっていうのも、何か理由があってそういうことが起きていると思います。

糸井　その場合、おかげで、こちらが何かについて気づくわけですね（笑）。総理大臣がいつでも模範解答を出していたら、それ以外の選択肢を自分で探そうとは思わないですから。

邱　ですから、存在理由のないものが存在してることはないんですよ。**邪魔にはなるけども。**

糸井　そういうのに足を引っ張られることは、自分がスピードを上げて走りたいときには、困りますよね。そういうときには誰かが代わりに走るしかないんだろうなあ。

邱さんなんか大変だろうなあと思うのは、「気づいてしまった不幸」っていうのをきっと持っていらっしゃいますよね？

糸井　気づいたからといって、気づかない人の考えをぜんぶ同じところに持っていくのは無理なわけです。だから、自分でやるしかなくなってしまう。

邱　取り越し苦労は避けられませんね。

糸井　**だったら、何かについて人よりも五倍気がついてしまった人は、たぶんやるべきことも、背負う荷物も、人の五倍になるんじゃないかと思うんです。**

……でも、邱さんを見てるといつもニコニコしていて、五倍も背負ってるようにも見えないんですよ。どうしてなんですか？

邱　あいたたたた……。

糸井　**心では泣いてますよ。**

それが本当なのかもしれない。

はああ……。いやあ、そうだろうなあ。

今、俺、黙っちゃったもん。

イ 邱さんですら自分を女々しいと思うのですか？

糸井　五倍背負っているのにニコニコしているのは、ものすごく強いからではなくて、心で泣いているからなんだ……。

直接聞いてみて、ほんとにそうなんだろうなあと感じました。

何かコツがあって、それさえつかめば、脆くて弱い自分でも太平楽に笑っていられるなんてことは、あるはずがないですもの。

邱　つまり、人間とは、そこまで脆いものなんだと、今よくよく思いましたよ。

糸井　ぼく自身は割と、潔《いさぎよ》さがあるように見られるけど……。見えますよ！

邱　確かに思い切ってパッと変わることはできますけれども、**ぼく自身としては、何て女々しいんだろうと自分で思っていますもの。**

糸井　ええっ⁉　顔見あわせちゃいますよ。

邱　本当に何てくよくよしてんだろうなと思いますよ。

糸井　はあ。それほど人間は弱いものであると。

邱　いつも自分でそう思っています。

糸井　今の言葉を聞いたら、いえますよね！

邱さんの場合「あの人は特別強い」と思われてますから。

……でも、よく考えたら、ときには弱かったり臆病だったりするということを、邱さんがご自分で意識しているからこそ、今まで発見をし続けられてるんだと思います。

つまり「どうなってしまうかわからないくらい弱い自分」を意識するからこそ、ものを考えられるというか。

その点、表面だけで苦悩しているみたいにアピールするだけに留まっている人は、実は現実に満足しているのかもしれないよなぁ。だって実際には変わらないもの。あんまり悩んでいないんだよ、きっと。

邱さんのように、表には出さないけど、裏ではいつでも考えていて、それを実際に変わるということで実践するという人のほうが、悩みの深さを感じさせられますから。

邱さんは、自分ですらも脆いものであるとおとらえになって、人はぜんぶそうなんだとおっしゃっているような気がします。

邱　やっぱり、人生の名人達人なんていうのは、いやしないんだよなあ。人間は自分をとても脆いものだと知らないから、間違うようにも思うんですね。何が間違わせるんだろう……？　権力欲なのかなあ？　その間違ったり惑わされる原因というのは、どういうところにあるのでしょうか？

邱　いやあ、脆いことがわかっていても、間違えますよ（笑）。

㋑「お金を払うから次も」は困りますよね

邱　ぼくは、その人の負担になることについて電話をかけるということがないんです。

例えば、「あの人の会社で、保険を買ってもらえないでしょうか？」とぼくのところに頼みにきても、そういう類の依頼にこたえて人の紹介をしたことは、ありません。

だけど、もしかして、その会社にとってメリットがあるかもしれないという話のときには、電話をかけるときがあります。ですから、どこの社長さん

糸井 も、ぼくから電話をかければ、必ず向こうから返事の電話がかかります。すでに邱さんのところで編集してあるいい情報を教えるんですね。なるほど。

ぼくは、似たような話で、あらゆる依頼は「相手が断る権利を持ってるんだ」ということを選択肢の中に入れて依頼をしなければいけないというように書いたことがあるんです。依頼するのがとてもうまい人への違和感があったから。

相手に絶対に断らせない人を「強くて、いい人」だと思う社会の感覚には、前々から不愉快に感じていたんですよね。

自分が依頼を受けてみる側になってみると、しょうがなく押されてやってしまうことがありますけれども、その人と仲良くなることって、やっぱりないんですよね。いちど断ったのにまたきたとか、三回も四回もきたから、やめさせるために引き受けたなんて仕事があるわけですから。

やはり「お前とは、何の仕事もしていないのにつきあっているなあ」とかいうような人と、いつでも何か楽しいことが起きているんですよね。

強引に筋肉の力で、レイプをするようにとってきた仕事というのは、実はみのりが少ないんだとぼくは思っています。

そこと、邱さんのおっしゃってることとは、きっと重なるんだと思います。邱さんの場合は、断らせる力どころか、紹介してくれてありがとうとあとでいわれるところまで完全に加工してから、情報を渡すということになるわけですから。

邱　ぼくは昔は顧問料をもらったりもしたけど、今だったら、金払うっていわれても、いらないよっていいますもんね。

糸井　「お金を払うから、次も頼むね」っていわれても困りますもんね。

邱　ふだんから、「せめてご馳走をしたい」といわれて、お腹の負担になっていますよ（笑）。

Ⓠ人生そのものがゲームです

糸井　邱さんのお話を聞いていると、勇気が出るし、底知れない感じがあるんですけど、邱さんの思想のようなものは、何を考えることから生まれているんですか？　お金を考えることでもなさそうですから、聞いておきたくて。

邱　やっぱり、ぼくなりに面白いことをやることですよ。

糸井　楽しみのようなものですか？

邱　楽しみでなかったら、こんなアホみたいなことを、長くやっておれないですよ。お金のためなら、やっていられないようなものですから。

糸井　俺はもうダメかもしれないとか思うことは、ないんですか？

邱　あ、**それはもう、しょっちゅう**考えますよ。

糸井　え⁉　しょっちゅうですか？

邱　ええ。

糸井　ぼくも「面白いからです」といってきたんですけど、そういっていると、「あいつは貴重で大事な人間だとか人生だとかっていうものを、ゲーム感覚で遊んでいる」っていわれるんです……。

邱　**でも、人生そのものがゲームなんだもの。**

糸井　うわあ！　いいなあ、その言葉も。

ぼくもそう思っているんですよ。

だけど、それをいうと、嫌われるじゃないですか。

ぼくはそのことでどれだけ敵をつくってきたか、わからないぐらいです。

でも、そういうの、邱さんがいうと重みが違うんだもんなあ……。

俺がいうと、人生を粗末に扱っているように見えちゃうんだよ。

でも、本気でいっているんだけどなあ。だって、**面白いという要素を除いて一生懸命になれることって、実はそんなにはないですもんね。**

どういえばいいかわからないけれど、ゲームの中にも正義感はあるし、ゲームの中で人にちゃんと優しくできないと、そのゲームは長続きしなくなるから、相手を大事にもしますし……。だから、ゲーム感覚でいても、ちゃんと自分や人のことを見て、一生懸命考えるんだと、ぼくは人には説明するんですけれど。

それが伝わらないのは、やっぱり人格の問題でしょうか？　信用されてないような気がするんだよね、俺って。人間をおもちゃにしてるかのように思われているというか。

邱

ゲームにもランクがあると思うんです。

例えば、共産党だからいいとか、共産党だからダメということはなくて、共産党にもＡＢＣのランクがありますよね。人間だって、Ａランクもあれば、Ｂランクもあれば、Ｃランクもある。

だから、生き方の中には、たとえ自分の喜びや楽しみのためにやってるといっていても、世間的に見て、みんなからは認められないような、えげつのないのもあるわけです。

糸井　なるほど。人生というゲームにも、クオリティーがあるんだ?

邱　と考えたほうがいいんじゃないですか?

糸井　そしたらぼくは、「人生がゲームだ」という考え方を認めてもらえるような、素晴らしいゲームを、これからつくればいいわけですね。

邱　そうです。

大事なのはそれがAランクなのかどうかなので、糸井さんはその点ではしっかりしていると思うんです。

例えばインターネットのサイトをはじめるときにでも、糸井さんも、どうやってページをつくろうかと考えたと思うんです。

そういうことに関しては、はじめから乞食みたいなやりかたをしないということが大切なわけで、糸井さんは見事にAランクのスタートをしているとぼくは思います。

少なくとも、きっと第一歩として間違っていないですよ。でなければ、「イトイ新聞」でぼくが書くわけがないもの。

イ 幸せって何なのかを考えはじめたんですよね

糸井　ぼくはずっと、若い頃から、思想やイデオロギーというものが大嫌いで、そういうもので自分のクビ絞めながら、なおかつ人を責めながら生きている人たちが、本当に大嫌いでした。

それで、思想やイデオロギーに反発するあまりに、何にもなくても生きられるっていうようなことを、若い頃にはいろいろなところで表現してきたと思うんです。

だけど、五年前くらいからか……幸せって何なのかを考えはじめたんですよね。幸せなんてものはなくてもいいって若いときからいってきたんだけど、**それがないと、何だか自分が納得できなくなってきている**というか。

自分の幸せがどういうものかがわからないと、やっぱり、惑わされてしまうような気がします。

インターネットはじめてから、いろんな人がいろんなことをこちらにいって

くれるおかげで、

「今日お前が書いていたそれは違うと思う」

「ここの気持ちを書いてくれたからうれしい」

という反応が出ますよね？　そうすると、自分の考えていることが、逆に照らし出されてわかるようになってきたんです。


邱　そうして思うのは、「昔の人が、こう生きたほうがいいよといっていたことが、今頃になってありがたい」ということですよね。無理に難しく考えるよりも、大昔の人が何回もいっていることを改めて学び直したほうが、ずっとリアリティがありますから。

邱さんがおっしゃってることも、よくよく読んでみてびっくりしたんですよ。

中国の知恵をベースにおいているときがあるじゃないですか。

ぼくは自分では、センセーショナルにしようとは思っていないで、ごく当たり前のことを書いているつもりですから、そういうこともあるでしょうね。

糸井　中国四千年も前にもすでにあった、その「当たり前」が見つかんなくなるのが、ぼくたちの垢のようなものなんでしょうね。

楽しさや面白さを求めたいという気持ちをキープし続けるには、けっこう自分に対するある種の厳しさと、楽しくないとイヤだというくらいのワガママさとの両方がないといけないなあと思いますね。

一方では、人にも厳しくなって、自分にも厳しくなるという人生の送りかたもあって、それは、その個人の幸福感が間違っている場合には、他人の幸福を奪いとるようなことになってしまうから、これは、イヤだなあ……。

あともうひとつ陥りがちなのは、自分にある程度甘くしたときに、他人にも、何というか、つながりが薄くなってしまうぐらいに甘くしてしまう、というような。

邱　昔の文献からいい言葉を探すというのは、私は今でもやっていますよ。ぼくは諸橋漢和辞典とか、中国の成語辞典を最初から最後まで読み直しまして、いい言葉を探しますものね。

糸井　なるほど！

自分で漠然と感じていたことが、こういう言葉として、昔の人がすでに書いて結晶させていたんだなあ、とか思うのですか？

邱　糸井さんにさしあげた例の「林が深ければ……」の文章だって、ふつうの辞典にはもちろん載っていないけれども、ぼくが調べるような辞典を読むと、こちらで納得できる言葉として出てくるわけです。それをぜんぶ書き留めておきもしますし、中国のぼくの部屋にはそういう辞典やなんかがほとんど揃っています。それを読むための時間も大切にしていますよ。

糸井　こういう話を聞いていると、やっぱり、知恵とか知識とかっていうものは、大事だなあと思います。

邱　**自分ひとりだけが突然大発見するようなことは、なかなかないんですよ。**

糸井　うん。

そういう本でいうと、お医者さんの日野原重明さんっていう方が臨床医学者のために書いた本があるんです。医者が読むべきいい言葉を探している本なんですけれども、命にかかわっている現場の医者が読むべき本として書かれているので、切実なんですね。

読むべき言葉としては、それこそ病院の壁の落書きまで探してきたり、シェークスピアから引くこともあるし、ギリシャの古典から引くこともあって……。

命にかかわる現場の人がこれを知っておいてほしいという必死な思いがあるからか、生々しさがあるんですね。「教養として知っておこう」じゃなくて、困ったときに直に「使える」んです。

たぶん邱さんも、自分が迷い者だという前提があるからこそ、けっこう必死になって、今とても自分にとって必要なことをしゃべろうと探している最中なのだろうと思います。だから、いつも机上の空論にはなっていませんもん。こうしてお会いしていると、ヒリヒリするというような、粘膜に触れているみたいな感覚がありますよね。

Ⓠ素人のほうが工夫をするからいいんです

邱　ぼくは、仕事をするときに、先入観のある人を使わないんです。**絶対に素人でやろう**というところがありまして。

糸井　それは、ずっと通していらっしゃるんですよね。

邱　長くやれば何でも玄人になるに決まっているというくらいで、玄人にはそれ以上の価値はありません。

糸井　素人だったら、玄人の人と競争して勝つためには工夫をしなければいけないから、結果としてそれが勝ちにつながるんだと思います。
放っておけば誰でも、悪い意味でも玄人になっちゃいますよね。だけどそこを常に防ごうとしているんだから、邱さんはよっぽど自分を見る時間をつくっているんだろうなあ。

鏡みたいな何か物差しみたいなものを、いつでも、毎日意識してらっしゃるんでしょうね。

邱　毎日、それこそほとんど歯を磨いたり顔を洗ったりするように、自分のズレを矯正するみたいなことをかなりの時間だけ積み重ねていなかったら、きっと、邱さんはもっと早い時期に魔に憑かれたとしてもおかしくないと思うんです。大きなお金を動かしていらっしゃるわけですし。

よくぼくは講演で話すのですが、ぼくが今まで日本で会った人の中でいちばん頭のいい人は、ふたりいるんです。

ひとりは田中角栄さんで、もうひとりは江副浩正さんです。田中角栄さんがどのぐらい頭がいいかというと……こちらから、何もいわないうちから「わかった、わかった」というんだから「こんな頭のいい人はいない」と思っていました。

江副浩正という人も、ぼくが電話をかけて、「この話、二五億円かかるけど、あんた、ちょっとすまないけどやってくれない」といったら、「わかった」って、それですぐに実行に移せる人です。このふたりは本当に頭がいいと思っていました。

でもその人たちのその後を見ていると、あんまり幸せなことにはなってないから、人間の頭がよすぎるのも問題ですね。

「今のあなたの頭の程度でちょうどいいんです」というとみんな爆笑しますね。

糸井　そうですよね？

邱　頭がよすぎて、簡単にわかっちゃったら、ダメですよね？

頭のいい人の時代なんかすぐ終わってしまって、ぜんぶ新しい勢力に変わっちゃったでしょう？

糸井　ハナマサさんとか、ユニクロとかが流通を変えていって……それが、音がするほどガラッと変えるわけじゃないから、みんなが気づきにくいんでしょうね。

イ 前に活躍していた選手は復活しないんですか？

邱 優秀だと自分で思っている人たちは、どうしても自分の考え方に固執しますから。

糸井 こんな少しの変化は、ボヤのように消せるっていう感じで見ていたんでしょうね。

……そうやって、一回時代が変わって、選手が交代すると、もう、**前に活躍していた選手は復活はしないんですか？**

邱 **できないんですね。**

糸井 今、すごい早さでお答えになりましたね。

邱 いっぺん横綱やったやつに、もういっぺん横綱やれったって無理でしょ？　リストラをやる場合でも、やられるほうがやっても効果はありませんよ。本当はぼくもできないはずなんですよ。二回目のおつとめみたいなものですから。

糸井 でも、そういう例もあるんでしょうね、稀に。つまりナポレオンですよ。

邱　「運不運もある」というのは、そういうことですよね。

糸井　邱さんは、「運」というその言葉を、そういうときに使うんだなあ。なるほど。

邱　それ以外の言葉では、表現ができないことですから。

ふつうは一度目のピークを過ぎるとたいていダメになるんだけど、ダメにならない人も、例外的にいるんです。世の中には、どんなことにも例外があるんですから。

糸井　説明つかないけれども、そうなっちゃってるというのもあるんでしょうね。

思えば邱さんは、何人も何人もパワーの代替わりを見てこられたんでしょうけど……そしたら、それこそ平家物語の「諸行無常」じゃないけれども、空しい気分にもなるだろうなあ。

いくら栄耀栄華《えいようえいが》を誇っている最中の人を見ても後ろに屍《しかばね》の姿を見ているというか。

邱　それが生きている者の宿命ですよ。

しかも、それも当たり前だと思うようになるんでしょうね。

糸井　それを庶民が見られるのは芸能の世界なのでしょうけれども。

つまりある歌手がいて、ものすごく人気があって、一生続くかと思われたのに、一気に滑り落ちて違うところに行ってしまった、とか……。芸能がある意味ですごくて、みんなが観たがる理由は、そういうところからもよくわかりますよね。

邱さんご自身がいわゆる栄耀栄華のモデルケースにならなかった理由というのは、やっぱり「お金儲けは、ゲームだから」と思ってほどほどにしていたからなんでしょうね。本当に本気になって全財産を賭けて突っこんでるのは、たぶん、何かにとらわれが出てきたときだとぼくは感じるんです。そういうのって、ゲームをやっている限りはないですよね？　あ、でも自分では女々しいと思ってるみたいですけども（笑）。

第5章

人の気持ちがわかれば、商売のヒントもわかります

イ 若い人から起業の相談を受けたらどう答えますか？

糸井 ところで、邱さんが若い人から起業の相談を受けたときは、例えば具体的に、どう答えるのでしょうか？

邱 数十年前に、サラリーマンを辞めて独立する人のための連載を日本経済新聞に書いたことがあります。世の中にはサラリーマン入門書ばかりが溢れているけれど、サラリーマンを辞めるにはどうしたらよいか、をテーマにとりあげたら、それを読んだ若い人から電話がかかってきました。

「ぼくは邱先生の本を読んで会社を辞めました。これから独立をして仕事をやりたいと思っていますが、もしよろしかったら、ちょっと会って相談に乗っていただけませんか」っていうから「いいですよ」ってオフィスにきてもらいました。

まだ二十八歳の男性で、もう会社を辞めたというんです。

「これからやることを決めたのですか？」

「まだ決めていません」

「決める前に、辞めたんですか？」

「辞めなければはじまらないでしょう。ですから、思い切って辞めたんです」

「それなら次の人生はすぐにはじまりますね。今まで何をやってたのです？」

「旅行の添乗員をやっていました」

「としたら、これからも旅行と関係のあるところで何かしようと思ってるんじゃない？」

「その可能性も、あります」

「旅行業は確かに次の成長産業だけど、でも旅行社は、金が儲かりませんよ。一割しかマージンがないから、諸経費と働いている人の給料を払ったら、社長の給料も残っていません。だから、間違えてもその商売はやらんことですね」

「わかりました」

「旅行業にかかわるとすれば、その中のどこで何をやればお金が儲かるのかということを、よく研究することです」

ぼくは、そういったんです。そこで彼は何をやったかというと、ちょうど外国に出かける人が激増したとき、しかもツアーという形式の旅行がものすごく増えたときに、旅行社がツアーの参加者に配る無料のガイドブックをつくって旅行社に売りこんだんです。

例えばツアーに行く人が近畿日本ツーリストや東急観光に行くでしょう？　そこで旅行説明会をやるときに、ヨーロッパに行く人はヨーロッパ用の、インドに行く人ならインド用のガイドブックをただでもらえますね。彼はあれをつくったんです。

年に五〇〇万部もつくってそれを旅行会社に売る。旅行会社は、出費になって悔しいけれど、自分でつくるよりも安いですから買うより他ありませんね。

おかげでひとかどの実業家になって……。二十年経ったときに、東京のプリンスホテルで、記念パーティをひらいたことがあります。「つきましては、きっかけをつくってくださった邱永漢さんに、ぜひとも挨拶をしてほしい」ということで、私もパーティに引っ張り出されました。

彼はその会場に、ロールスロイスと五〇万しか違わない高級車のベントレーの新車を買って自ら乗りこんできたのはいいけれど、運転手さんと間違われてね（笑）。一緒に行ったうちの女房に、「だからダンヒルのパイプでもくわえて運転しなさいといったでしょう」とからかわれていました（笑）。お金と関係なかった人でもすぐ出世できた時代でした。今も基本的にはあまり変わりませんけれどね。ものすごい大金持ちでも、ぶどう酒の飲みかたひとつ知らないのを見てもわかりますよ。

イ　産業界の推移を一部始終見てたんですよね。おそろしい

糸井　邱さんはそうやって何代も何代も、人が事業をやって成功してゆく移り変わりを見てきたんだろうなあ……。でも、そういうのを見る前から、すでに小説を書くときに、人をそういう目で見ていたんでしょうねえ。

邱　あなたの職業は、と聞かれたら「人間観察業」と答えるべきでしょうね。そこで得た知識を、たまたまいろいろなところに応用してるだけなんです。

糸井　なるほどなあ。応用することよりも、観察することのほうが本職なんでしょうね。

邱　ですから、面白くってやめられません（笑）。

糸井　観察だったら、やめなくてもいいんですよね。**誰からも何も奪っていないで**

すもん。契約もしていないし。でもふつう、観察をしている人は、怖がられるんですよね。

邱 でも、ぼくは**「今あなたを観察してます」とはいいません**から。

糸井 （笑）そりゃあ、そうですけど。

でも、あとで試し算のように、例えばダイエーの中内さんだったりリクルートの江副さんだったりの産業界の動きを見てみたら、ぜんぶの場所のピークの時期に邱さんがいて、ことの一部始終をぜんぶ見ていた姿があると、ハッキリわかるわけでしょう？

その目を持っている人だからこそ「そういえば、こないだ、ああいっていたな」と、みんなが思い出すんだろうなあと思います。

Ⓠ 糸井さんのインターネットのこの先の展開が楽しみです

糸井 たくさんしゃべってお疲れになられましたか？

邱 大丈夫ですけど、少ししゃべりすぎですね。

糸井 それにしても、ほんとに面白いです！

邱　今までやってきた対談から見ればかなり型破りだから、若い人にも受け入れてもらえるかもしれませんね。

糸井　**おたがいに、しゃべっているときに口から出している水蒸気の量だけでもすごいことになってるよ。**やっぱり邱さん、**根っこの体力がありますよねえ。**そういうところが大事なんだろうなあ、やっぱり。

邱　体は、子どものときから丈夫だったわけではなくて、逆なんです。ストロングとヘルシーは違います。相撲取りや野球の選手はストロングですが、長持ちしない人が多いですね。

糸井　俺もよく人に丈夫だっていわれるんですけど、絶対にそんなことないんですよ。

邱　ストロングでないほうが長持ちするんですよ。

糸井　そうですよね、丈夫だと無理しちゃいますもんね。
ただ、脳の強度に関しては、ずっと考え続けても疲れずにいられるという丈夫さは、ぼくにはあるかもしれないですね。使ってつなげているうちに丈夫になってくるみたいなものがあるというか。

邱 ぼくは糸井さんの今の仕事が、どういう発展をするかに、興味を持っています。去年、糸井さんのホームページを見た時点でも、「これはしばらくしたら大きくなるな」と思っていましたから。

糸井 あたたかく見守っていてください（笑）。本当に、これまで邱さんに「もうダメです」って、相談に行くときがいつあるかわからないと思いながらでしたけれども、よく耐えてきたと思いますよね。

邱 ちょうど、今までのかたちでインターネットの仕事をやってきていた連中がダメになるときですから、これからは糸井さんにとっていい時期だと思いますよ。

糸井 あれは、気が楽になりました。ああいうネットバブルの仲間入りをしなくてすんだから。あれ、やっぱりふつうに見て「変」でしたもんね？

邱 「こんなこと、長くは続かないよ」と思ってましたから（笑）。

㋑ 一〇〇万アクセスにはどうすればいいんですか？

糸井　邱さんから見て、ぼくたちの「ほぼ日刊イトイ新聞」が、どのくらい先にぐっと変わるのか、わかりますか？

邱　もう三年ぐらいで、変わるんじゃないですか。あと三年ぐらいかかります。

糸井　アクセルを踏むのは、「今すぐ」ではないですか？

邱　たぶん、そうではないでしょう。**今自分が考えているのと違う発想から出てくるもので、変わる**と思いますよ。

糸井　そういう意味だと、**焦れば焦るほど、将来に出てくる「予想外の何か」を見逃しますよね。**

邱　糸井さんの場合は、ある程度、腹もくくっているから、心配ないですよ。

糸井　こんなにしんどいものというか、こういうとんでもないチェンジを、年をとってからするって、正直にいって、ぼくは自分でこういうことを実行するとは思っていなかったです。

邱　まだそれほど、年をとってませんよ。

糸井　あ、そうか。
それ、前に同じことを邱さんにいわれましたよね。でも、つい忘れちゃうんですよ。そうか。俺も若いのか……。

邱　具体的な内容としては、まだ、一つの事業を巨大にしようっていうことはぜんぜん思わないんですけど……。

糸井　そんなことは、考えなくてもいいんです。

こっちが考えて大きくなるんじゃなくて、気がついたら、そうなっていたということでしょう。

邱　今（二〇〇〇年十二月）のサイズまでは、ぼくもホームページをはじめる前から予想はしていましたが、このサイズの後は、まだ考えてもいなくて、そのときに考えようと思っていました。

一日三〇万アクセスという今のかたちぐらいまでは、息を止めて走ろうと思っていたの。

今は仮に一〇〇万アクセスといっているんですが、どうなるかを、これから考えようと思っています。

糸井　そのためには少し工夫が必要ですけど、難しいことじゃないんですよ。一日に三万のアクセスをとれる人を、三〇人集めればいいわけですから。

邱　あり得る数ですね。

イ 今は、無料のブローカーとしてやっています

邱　ぼくがまず一日三万集めるサンプルでしょう。ふつうの雑誌なら原稿料をもらえるのに、無料でやるのはイヤだと思う人が多いだろうけど、邱永漢さんだってそれをやるんだからといってもらえれば、少しは肩車に乗ってくれる人があるんじゃないですか。必要であれば、ぼくの知りあいの作家たちにも話をつけますよ。

糸井　具体的な話で、ありがとうございます。

邱　お客さんがいる人を集めればいいんです。ぼくなら、甲子園一杯分くらいのお客さんはいます。でも、ぼくのものを読んできた人は、だいたいインターネットなんか見なかった人たちですから、多少時間はかかりますけどね。

糸井　腰を据えて考えてみます。うち以外で、検索としてではなくて読みものとしてお客さんがいつも通っているインターネットのサイトは、ほとんどないんですよね。
だとしたら、「ほぼ日」がやることというのは、ぜんぶ、世の中でいちばん

はじめにできますから。

邱　ぼくが前に、フランス料理のお店を「ここ、おいしかった」と一回書いたでしょう? あれにもメールをくれた人がいまして、「お店の人に、インターネットで邱さんの文章を読んできましたといったら、あなたがすでに五人目ですといわれた」と書いてありました。

糸井　例えばどこかの雑誌に載るレストラン紹介と、うちのページで邱さんが自分でおいしいと書いた紹介とでは、読む側からすれば、親しみかたが違いますよね。

邱　ですから、雑誌よりもインターネットのほうが力があるんです。

糸井　そういうことになりますよね。そこがたぶん、今までのメディアとは大きく違うところですね。ぼくは「三合庵」という白金のおいしいそば屋を紹介したんですけど、これは、本当にうまいぞっといったら、今も、多いときには一日に一〇人くらいは「ほぼ日」のお客さんが食べに行っているみたいです。

せっかく一生懸命にやってる人たちが質を落としていって商売がうまくいってもしょうがないので、お客さんが行けば倒れないと思って、「ぜひ、食べてほしい」とそういう状況も書いて紹介したんです。そうしたらずいぶんメールが届いています。

ぼくらは今は、本当にいいものだけを紹介したいという無料のブローカーみたいなことをしていますけども、

「果たしてその次の世界では、今やっていることが、どう結実するだろうか？」

「まだ、このページではすぐに商売をしちゃいけないんだ」

というあたりに、何かがつながりそうなんですよねえ……。

邱　「ほぼ日」でつくった服を「ほぼ日」で売って、たくさん買ってくれたりするとうれしいわけですけれども、実はもっと大切で動いているものは、見えないところにあるんじゃないかなあ、と思っています。

今までは考えてもいなかったような分野で、何かができる可能性がありますよ。

Ⓠまだやらないだけで、すぐにでも商売にはなりますよ

糸井 ぼくはそうでもないんだけど、こういうことをやっていると、やっぱり、「毎日働いているのに、何も稼ぎ出さないかもしれないぞ」という気持ちと、闘わなきゃならないんですよ。ここでものを売ったりすると「俺たちも稼げるんだ」と、ちょっと励みになることはなるわけですから。

邱 その意味では、商品を売るというのは重要なんですよね。ものを売って、市場ができたほうが、活気づくんですね。でも、単なる物売りに終わっちゃわないようなバランスも必要ですが。どの会社もホームページを持っているけれど、それはみんな掲示板なんです。

糸井 「おふれ」ですよね。

邱 ですから、特長のある会社が売りたいものを、糸井さんのところで販売するというだけでも、かなりのヒットが出せる可能性がありますよ。ただホーム

糸井　ページがあるというだけでは読む人の心に訴えませんから。ユニークでためになる、いいサービスなりいい商品がたくさん仕入れられるようになれば、「ほぼ日」は仕事として展開できるんですよね？　今は自分たちで考えて自分の欲しいものをつくっているけれども。

邱　今、ぼくは知っている人にデザインセンターをつくらせているんです。ネクタイ屋さんですが。日本のデザイナーを集めて、企画とデザインだけは日本でやらせて、縫製は大陸でやって経費を半額以下にするというものです。そのネクタイ屋さんは一年間に一八〇万本売ってるわけですが、ネクタイというのは、小さなものだけど、一本一本にデザイナーがいます。そのデザイナーたちにいろんなファッションのデザインをしてもらって、採用したものにはお金を払う。しかし、「デザインセンターは一銭も儲けるなよ」といっています。デザインセンターが儲けたら、いい仕事をしてもらえなくなるから。

糸井　また、やはり「無料のブローカーになれ」ということですよね。

邱　その代わり、デザインセンターは、その服を加工する分野で、例えば上海でつくるとなったら、その品を納めるときに間に入って儲けなさいといっています。

糸井　それはまた面白いヒントだなあ。

邱　広告会社がデザイナーのピンハネをしようとするから無理があるので、本当にいいデザインをつくってもらおうとすれば、ピンハネはできないはずなんです。

糸井　例えばそういうデザインセンターのようなものを糸井さんのところでやることだって可能ですが、今はアクセスが増えることだけを考えれば、できることはいくらでもありますよ。

邱　ぼく、根っこの欲はそんなにないんだけど、遠くの欲はあるので、面白いことをやりたいですね。

糸井　イヤな思いをしてやることはないですよ。人に利益をもたらしてあげていれば、どんなことでもいうことを聞いてくれます。

邱　確かにそうなんですよねえ。

糸井　楽しいままなら、それぞれの人が動機を持ったまま仕事ができますから。「俺はイヤなんだけど、やってやる」という人がいては、ダメなんですよね。

Ⓠ飽きさせないのが「商い」です

糸井　邱さん、お話面白いですよ。

邱　**適当に気が散って話が飛ぶから、ちょうどいいかもしれませんね。**

糸井　おたがい、もともと気が散るタイプですからね。

邱さんとお話をしていても、集中的に穴を掘っていくみたいなことは、やっぱりいやがっていますよね。書かれた『西遊記』なんかでも、いっけん西遊記なんだけど、そのときの気分で変えていっちゃう。あれが面白さだし、やっぱりぼくに合うんですよ。その呼吸が合ってさえいれば、話は面白いんですよね。

いろいろな人と話す機会がありますけども、ふつうのセンセイと話をしているときがいちばん退屈で、芸のあるセンセイと話しているときがその次に退屈なんです。ぼくがいちばん面白いと思うのは、生身で戦闘をして今まできた、という人なんですよね。

生身で闘ってこなくてもよくて借りものを着ている学者とか評論家は、別に本人たちには何も悪いとこはないんだけども、つまらないものはつまらないんですよね。

邱　やっぱり飽きさせないことですよ。商《あきな》い（飽《あ》きない）といいますから。

糸井　邱さんって、おひとりで静かにいる時間を、一日のうちでけっこう長くとっていらっしゃいますか？

邱　かなりありますね。

糸井　そういう時間がどうしても必要なんです。

ぼくは、集団でないと生きていけないタイプの人とはつきあえないんですよ。どこかのところで孤独を抱えてる人じゃないと……。で、会っていると、孤独を抱えているかどうかは、なんでだか知らないけど、わかるんですよね。

邱　東京にいると朝から晩までいろんな人に会わなきゃいけないから、今はその時間を北京と香港で持っています。

香港に居を移したとき、

「香港の名士とおつきあいになられますか？　つきあうんだったら紹介します」

といわれたけど、ごめんこうむりますといって断ったんです。せっかく自分ひとりになる時間をつくったのに、またここでいろんな人たちとつきあったんじゃあ、自分の時間がなくなっちゃいますものね。そのことを話したら、香港の親しい友だちが「邱さん、それは正解です」と賛成してくれました。「もしその連中とつきあったら、冠婚葬祭だけで香港にいる時間がぜんぶつぶれてしまいますよ」って（笑）。だからなるべく、外国では人に会わないようにしてるんですよ。飯の時間とかそういうときだけは、ひとりで飯を食うことはしないので、「夜のその時間にきてくれませんか」「飯を一緒に食って話をしましょう」というスタイルになっていますが。

北京にいても、会いたいと思えば山ほど会う人はいますが、それをぜんぶ捨てて自分の時間にしているんです。ぼくが糸井さんのところに連載している「もしもしQさん」の原稿だって、ほとんどみんな北京か香港で書いています。

糸井　そうなんですか。やっぱり先に歩いてる人は、そういうかたちで先に知恵を使って、自分の時間を確保しているんだなあ。

邱　その代わり、いつも飛行機に乗って避難しなきゃいけないけどね。

糸井　遠くに個室を持ってるみたいなもんですね。しかも景色が変わるし。

邱　自分ひとりでいる時間にものを考えることが、とても多いんです。

糸井　そうでしょう。しかも移動してるときが、いいですよね。

Ⓠインターネットでやれる仕事がわかってきました

邱　だんだんわかってきたけど、インターネットでいちばん効果があるのは、人探しだと思います。

糸井　やっぱり、そこですよね。

邱　eメールの反応を見て、自分はもしかしたら人買いの親分ができるんじゃないかなあと考えています。

糸井　みんなそこまでわかっているんですけど、邱さんのところだからくるという人がいて、そのおかげですごくちゃんとした人がくるというフィルターになっているんですよね。

邱　履歴書を見たら、だいたいどんな人かわかるから、その人にすごく適した仕事があって、そういう人を欲しがっている企業があるときに「あなたはこんな仕事やこんな会社が向いてるんじゃないですか？　いい仕事がありますよ」っていえば、その人もやりたくなるんじゃないかと思います。

糸井　それは世のため人のためにもなることですよね。

邱　そういうことが、だんだんわかってきたんですよ。少しずつですが「イトイ新聞」を使ってやれる商売っていうのもわかってきました。

糸井　そうですか。うれしいなあ。何か、邱さんに考えさせてしまって、すみません（笑）。

邱　俺、商売について考えてなくて。いちばん身にしみてわかったことは、**インターネットの読者が、いつも自分の職業のことを考えているる**ということです。

糸井　なるほど。確かにそうですね。

邱　しかも、新聞の求人だったら、ものすごく小さい広告しかできなくて……つまり、何もできない。ところが、インターネットだったら、この会社はどういう人材を欲しがっている、と一ページ使って書けばいいのですから、インターネットは、人集めにはもってこいなんですよ。

イ 人材を集めるコツは、何でしょうか?

糸井 邱さんが今おっしゃったそれ、わかるなあ。自分が欲しい人材って、お金とおんなじで、こちらがいいことをしていれば、いい人が集まってくる仕組みがありますよね？　その点で、やっぱり、単なるかき集めじゃあダメなんです。企業が人材ネットワークを立ち上げるときは、どうしても「一〇〇万人集めたい」とか思っちゃうから、難しいんだと思います。それよりもむしろ、少ない人数でいいから、いい人たちを集めて、その少ない人数を活用させる。しかも、インターネットが求人にいいというところまでは割とみんなが気づくけれど、それを邱さんがやれば、邱さんの長いブランドとのかけ算になりますから、そこで信頼の蓄積が生きるわけですし。
みんな雇用については悩んでいて、例えば財務なんかでも、どこかの銀行や証券会社にいて財務やってましたからというだけで採用するしかなくなってしまうけれども、そういう人たちが必ずしも企業の理念をわかっているわけ

邱　ではないから、その財務のいうことを聞いて何かをしようとすると、「あれ？　こんなことをするために俺は仕事をしているのかなあ？」と思わされたりしてしまいますからね。

実は人の世話はずいぶん昔からやっているんです。それこそ、四十年も前から。

ある建設会社が上場にこぎつけたけれども、会社の重役が全員大工とか左官だから、それだけでは上場説明会も株主総会もやれないんです。

ちょうど大会社を首にされた「大物の片腕」といってたような人たちがいたので、ぼくはその会社にお世話しました。大会社を首にされた人たちからは「邱先生とは仲良くしておいたほうがいいなあ」といわれるし、採用した建設会社にもとても喜ばれました。

糸井　そうでもしないと、付け焼き刃で勉強しなきゃいけないですもんね。

邱　それと同じことがまた起こっていますね。今から大きな会社になっていく成長期にある会社が次々と台頭していますから。例えばハナマサの社長なんかこの間、一緒に食事をしたときに、ユニクロの社長に「あんたの商売は、ぼくが見ると一兆円商売だ」といわれて。もうすっかり感激していまして。

糸井 もとはすごくいい肉屋のおじさんのわけですよね。

邱 そういう新興企業も上場しなきゃいけないときがあったら、新商品の開発より人材の開発が最緊急課題になりますものね。

Ⓠ「強気八人、弱気二人」で、人とつきあうといいんです

糸井 どの企業も、必ず、発想して前に進むタイプの人と、守備を固めてまわりを見まわす人との二人三脚ですよね。それで今は逆に、見まわす人のほうが足りなくなっているし、どういう人を雇えばいいのかがわからなくなるのかなあ……。

邱 ぼくは、若い人の中でセンスがある人を見つけて鍛えたほうがいい、と思っています。

糸井 なるほど。でも、発想重視の空想タイプの人間って、周囲にそういう人ばかり集まってくるんじゃないでしょうか?

邱 これは友だちづきあいについてもいえることですが、**友を選ばば、強気八人、弱気二人**といっているんです。

糸井　ああ、これは**メモが必要**なことだよねえ。なるほど。

邱　強気ばっかりだったら、暴走する。

糸井　そのほうが楽しいんですけどね。

邱　楽しいけども、アウトになったらそれでおしまい。弱気が二人ぐらいはいて、ちゃんとうしろから引っぱってくれていて、「それやったら危ないよ、危ないよ」っていってくれるぐらいで、ちょうどバランスがいいというか。

糸井　「強気八人、弱気二人」かあ。なるほど！　それ、邱さんのオリジナルの言葉ですか？

邱　はい。

糸井　昔の中国のいい言葉にさえ、聞こえるよ（笑）。そんな二割のことって、若いときには気づけないですよね？　どうしても暴走したくなりますから。邱さんがこういうことをわかったのは、ある程度の年齢になってからですか？

邱　自分で何回も失敗してから、思うようになったことですよ。

糸井　おおお。そうかあ。**失敗の回数が、言葉になって表れているん**ですね。

Ⓠ人間の移り変わりは、サイコロのようなものです

糸井　ぼくは今の邱さんしか知らないのですが、若いときの邱さんって、どういう人だったのですか？

邱　よく**「怖い」**といわれました。

糸井　「穏やか」とかじゃなくて？

邱　その反対です。

糸井　今じゃ想像できないですよ。

邱　今のぼくからはとても想像できないとみんなからよくいわれます。

糸井　邱さんとは逆に、若いときに落ち着いていた人が、後になってこう突っ走るという、逆の現象もあるのかなあ？

邱　それはありますよ。

　あっちに揺れたりこっちに揺れたりするでしょう？　人間って。

糸井　あの……ついでに、ちょっとくだらないことで聞いておきたいんですけど、よく昔から**「家康タイプ」とか「信長タイプ」とか**いうけど（笑）、**あれっ**

てあるんですか？

邱　あれは、結果としてそうなるんで、その途中の過程としては、いつもそのひとつのかたちはしていないと思いますよ。

糸井　ああ、そうか。

邱　**サイコロを転がしているようなもので、**最後には一が出たり六が出たりひとつのかたちになるけれども、**転がしている途中はいろいろな面が出てくるわ**けですからね。

糸井　うまい比喩ですねえ。

邱　そうすると、**転がっている途中の姿だけを見たら、最終的に六に見える人でも、三だったりするでしょう？**

糸井　そうかあ。そうですよ。**なんてうまいことをいうんだろう！**

作家だからかなあ？　でも、作家の目って実業とは相容れないものにも見えるし、実際に邱さんのように実業のセンスがあって両方やれている作家って、何人もいらっしゃいませんよね。そこがすごいなあ。

こんなに実業のことをわかっていながら、さっきも、「ぼくは、自分を何て女々しいやつだと思う」というような言葉をお使いになっているし……。あれは、印象的な言葉だったなあ。

邱 格好のいい話をしたって、しょうがないですよ。

糸井 本当にそうなんですから。

はい。特に今は、そういうところで話すことこそが知りたいですし。自分とつながっている人間の考えていることだとわかりながら、自分とは別のことだとしないで人の話を聞いたり理解できたりするというのが、ある意味でインターネット的というか、これから読みたい話だったりしますよね。素材はおんなじだったけれども、みんな、転がっているうちに雪だるまみたいにかたちを変えていった、みたいな……。その雪だるまを、今度は溶かすのか、そこに彫刻を入れるのか、と話していくのは、みんなの共感を得られることですから。

㋑ 苦しみだけを望んでいる人は、半端なことしかできないと思います

糸井 このあいだ、邱さんにお食事に招いていただいて、邱さんの娘さんもいらしてたんですが、「父は根本的には、作家だと思います」とおっしゃっていました。長いつきあいの家族がそういうなら、そうなんだろうなあ、としみじ

み思ったんですよ。

実業の世界でいろいろな人に接しているけれど、根っこは作家だという目でお嬢さんが見ているとしたら、それは正解だろうなあ、と。

だからこそ邸さんは、一つの会社を闇雲《やみくも》に大きくしたりしないのかなあ、とも感じました。そういうふうに**つくった会社を大事にしていくというのは、結局、文学作品をつくっているんだろうなあ**、と思ったんです。

邱　そういう面はあるでしょうね。

糸井　それで今サイコロを転がすというお話を聞いて、やっぱり作家だなあと思って、面白かったです。転がっていくのは、人生として最高ですよね。

邱　ですから、**苦しみも楽しみのうちと考えなきゃしょうがないでしょう？**

糸井　**作家として、ストーリーテリングをやるとしたら、悲劇的な部分というか苦しいところがなかったら、面白くないですもんね。**

邱　その通りです。

糸井　きっと、そういうことでしょうね。

でも、きっと、**その苦しみは、幸せを求めている途中にあるからこそ楽しみであって、ただ単に苦しみだけを望んでいる人は、きっと半端なことしかで**

きないと思うんです。

必要以上に低いところに降りたがっている人とか、マゾヒスティックに「苦しいから快感があるんだ」みたいに考える人は、きっとスケールが小さくなっちゃうでしょうね。

Ⓠ苦労したいとは思わないけど、させられるんです

糸井　「本当は、明るいところに出たいんだけれど、何かに襲われて回り道をしなければいけないから……」

そういうところで、苦しみがドラマとして面白い要素にもなるときはあるけれども、苦しみがなければいけないんだという主義になってしまうと、サイズが今までのままに留まってしまって、たいした変化を遂げることが、できないんだろうなあ。ぼくはまわりを見ていると、そう思います。

そこのへんのところで、邱さんが求めているものは、きっと希望なんじゃないかなあとぼくは感じるんですよ。

楽観主義では決してないんですが、根っこでは、上というか明るいところを

見たいというか。そういうものをぼくは邱さんに感じるのですけれども、それはいかがですか？

邱　例えば邱さんは、「じゃあこれから苦労してみよう」なんて、思わないでしょう？

糸井　そんなことは、思わないですね（笑）。

邱　思わないでしょう？　でも、「苦労をしたほうがいいんだ」という人って、実は世の中にけっこういますよねえ。

糸井　ぼくは、苦労したいと思わないけれども、苦労させられてはいるんです。そうですよね。

不意にいろんなことが起こって、その事故にどういう姿勢で対処するかということは、次のゲームの練習にもなるわけで……。ぼくもそうでしたけど、たぶん邱さんもそうやって生きてきたんだよなあ。

イ　ツメの垢を飲んでも元気にならないですよね

糸井　ええと、このへんまでくると（笑）、読んでいる人が、もしかしたら「まね

できないかもなあ」と思うのかもしれないけど、たぶん、そう思うことが間違いのもとだと思うんです。そんなことはないわけで。

邱　みんな同じですよ。物事をどっちから見るかだけのことですよ。

糸井　そこなんですよね。

今回の本のテーマって、根っこはそこだと思うんです。

「邱さんはお金儲けの名人だし、お金の神様だ。俺は違う。ツメの垢でも……」

って、そんなようなことを、人はよくいうじゃないですか？

……でも、**ツメの垢を飲んで元気になった人なんて、いないと思うん**です。

やっぱり**邱さんの話は、処方箋なり、レシピなり、何かをするための道具というようにとらえて吸収すればいいわけで。**

……そうしたら、そのまま自分で使うことも、できるじゃないですか。

ツメの垢を飲んじゃいけないんです。自分で何かやればいいわけですし、生きることっていうのはそれぞれに一度しかないもので、おまじないではないんだから。

邱　やってみることですよ。何でもはじめからうまくできるわけがないんですから。

やってるうちに、自分でもいろいろと知恵がついてだんだん直していく。例えばインターネットなんていうものも、本当にこれはどういう具合になっていくのか、未知数の部分が多いですもの。

自分でやってみると、ぼくがちょっとちょっかいを出しているように、「こうやればいいんじゃないか」ということが、いっぱい出てきますよ。

糸井さんは、そういうところで勘の働く人でしょう。ぼくもそうですけど、もの書きみたいな仕事は極めて不安定なものですから、途中でどこに位置すればいいのかを考えて、自分で自分の位置を変えられる……そういうところがいい方向につながっていると思うんです。

誰が何をどの方向に行かせるかについては、おおよそ世の中で仕事をしている人の中でトライアル＆エラーをしない人はいません。みんな必ず、間違いもふくめていろいろなことをやっているうちにどうやったらいちばん自分が何をうまく使えるかをわかってくるものです。

Ⓠ 実業と文学の境目に、ネットの読者は惹かれます

邱　インターネット上で読んでくれる人たちが反応するというものは、必ずしも実用的なものばかりじゃないんですよ。ぼくの連載でも……、

しかし、一億円払っても安いと感ずるような人材はどうやって生まれるのでしょうか。
頭脳明晰は条件の一つでしょうが、
頭がいいというだけなら、結構たくさんいます。
真面目で蔭日向なくよく働くということなら、
多分、もっと多いでしょう。
周囲の人たちの信頼を得ることももちろん、絶対要件です。
周囲の人たちが知らぬ顔をするのと、
あいつなら助けてやろうじゃないかという気を起してくれるのとでは、天と地ほどの違いがあるからです。

私は各界でそれぞれに成功してきた人を見てきましたが、
育った環境も違うし、
現にたずさわっている仕事の内容も違いますが、
どの人にも共通していることは
「思ったことはすぐにやる」
ということです。

偉くなった人は皆が皆、頭がいいわけでもないし、
知識が万人にすぐれているということでもありません。
それどころか、こんなことも知らないのかと
驚かされる人も少なくはありませんが、
人の説明を受けて一たび納得をしたら、
その瞬間にきいたことはその人の血となり肉となって、
すぐにも実行に移されるのです。

ほとんど一人の例外もなく、

そういう人は人生は短いと感じています。
短い間にやりたいことがたくさんありますから、
やると思い立ったら、もうその瞬間からはじまっています。
宿題として明日に残す人なんかいません。
いつはじめても遅すぎたということもありません。
走りはじめればいつか追いつき、追い越して、
ゴールに達することができるのです。
反対にいつまでも同じ位置で足踏みをしている愚図とは
とてもつきあいきれませんね。
人生はすぐに終ってしまうんですから。

糸井 こういう感じの、実用ではない部分を書いたところで、すごく大きな反応がきています。だけれども、実益だけを計算する人たちは、何のことだかわからないかもしれませんね。

邱 そうですね。
逆に、人間のフィーリングにばかりこだわる人たちは、人が実用的な動機で

動くことを理解したがりません。両方とも相手のことがわからないんです。インターネットは、その接点みたいなところで読まれているから、人間の心理の屈折がよく見えます。

糸井　まさにそうで、お金儲けの上手な人たちは、例えば懸賞で何千万円を出すと人が寄ってくると思いがちなんですけれども、でも、それだけではこないんですよね。そうではない動機で読んでいる人たちが、おおぜいいる。かといって、「何も得られないから面白くない」といってページを見にこない人の側にも、いい人がいたりもするのだから、実業の部分をぜんぶ捨ててしまうのももったいないんです。両方が面白いんですよね。

邱　値段の高い商品が当たるとか、有名人が書けばみんな読むとかいう思いこみは、たぶんネットでは違いますよね？

出版業界の人は、ぼくがお金の話をすれば人が集まると思いこんでいます。けれども、インターネットの反応を見てもわかるように、実業とそうではないところとの何ともいえない境目があって、そこをうまく結合していけば、新しく人をひきつけることができると思うんです。

糸井　そのイメージはぼくもそう思っているんですけど、いっても、なかなか理解されないんですよ。「それじゃあ、どっちつかずじゃないですか」とかいわれたことがありますから。

糸井 **人間はもともと、どっちつかずなんですよ。**

邱 **また太字だあ。**どっちつかずじゃないのがいいっていう人は、どちらかに特化しないと怖いんでしょうね。

邱 善悪だってそうはっきり区別のできないものですよ。

Ⓠ商売をするときにはどっちつかずではいけません

邱 ただ昨今の、**商売のやり方を見るとどっちつかずではいけない**ようです。今、台湾でいちばんよく流行っているデパートは、男ものを売るのをぜんぶやめました。途端にドッと若い女性が押しかけてきました。でも女の人がくると、男の人もそれについてくるんですね。今ハヤリのユニクロにしても「何でも売っている」わけではありません。何

糸井　でもありではダメで、何を捨てるかということらしいですよ。捨てることというのに関しても、たぶん生きもののように変化させていくんでしょうね。まわりの変化についていけなくなって、「これさえ捨ててればいい」「これさえ目立たせたらいい」と決めてしまうと、硬直してしまって、ダメなのかなあ？

邱　値段だけで勝負はできないんです。値段が安いということだけで勝負をしようとすると、自分の座っている椅子の脚を削るようなもんだから、まず、自分が沈没しちゃう。一〇〇円ショップだって、安いから売れているわけじゃないですよね。

糸井　楽しいから？

邱　でしょう。おそらくそうだと思いますよ。あれは一〇〇円のエンターテインメントですから。

糸井　子どものときに行った駄菓子屋の友だちのように見えます。一〇〇円なのにこうなのか、とか、一〇〇円だからこうなんだね、というように感心したり馬鹿にしたりすることを楽しむ要素があるから、きっと、いい商品ばかりだと一〇〇円ショップはダメなんだろうなあと思いますね。くだらないものも、交じってないと。

邱　やっぱりお客が「飽きない」ことが大切だから。一〇〇円でいい品といっても、同じものだけがいつまでも並んでいたら、お客はすぐこなくなるでしょう。

糸井　そういうところは、あらゆる商売をやっている人にとっていちばん難しいところでしょうねえ……。自分に飽きていることさえ気づかない場合だって多いだろうから。

邱　ぼくの場合はその点では飽きっぽくて、同じものがずっと流れていることに耐えられないから、自分の熱心さを維持するだけでも大変なんですけれども……その代わり、実りをきちんと収穫する前に、やりたくなくなってしまうことがありまして。だから大事業家になっていないんです。大事業の退屈さに耐えられない。

糸井　今は、別に大事業家になる必要のない時代ですよ。

邱　あこがれの人にならなければ、別にそうなる必要もないのかあ。

糸井　**大事業家っていうのは、同じことをくりかえしている人のこと**でしょう。自分が失敗しないですむとわかっている安全パイだけ振って、拡大していくだけのことですから。

それに比べると、**ぼくなんか、どこかに失敗することを前提として、**冒険をやっているようなものですよ。

糸井　もう答えが見えているところに向けていくのが事業の性質なんだ……。だったら、それは人生の幸せとは別のものなんだろうなあ。

第6章

自分のセンスと、お金を容れる器

イ 邱さんにとって、「いい」「偉い」って何ですか?

糸井 権威を、認めてはいるけれども、その等身大のたいしたことのないものを、砂上の楼閣という景色として邱さんは見ていますよね。でも、たいしたことのない権威でも、そのおかげで自分に逆境が押し寄せる。そこで「なにくそ」と思ってケンカをしていく人も多いじゃないですか。そこにいかないで、別の方向に邱さんの目が向いたのは、どうしてですか?

邱 実際に権威で偉いとされている人を見ていると、そんなに偉くはないんですよ。

糸井 偉い偉くない、良い悪いの基準が、世間とは別のところにあった?

邱 ものさしが違うんですよ。

糸井 みんなはものさしを持っていないから、借りてきたものを使うわけですよね?
肩書だとか身長だとか……。

邱さんにそれとは別のものさしがあることは、もう明らかにあるとわかるんですが、それがどういうものなのかを、知りたくなりました。邱さんの中では、偉いとか立派とかいいとかいうのは、どういう人のことですか？

邱　ぼくのものさしは、三〇センチなら三〇センチと決められているわけではないんですよ。伸び縮みする。

糸井　**また、そういうことをいうっ（笑）。**

邱　このものさしからなら立派な人かもしれんけど、別のものさしもあるわけだから。

ひとりの人間にしても同じものさしで測るわけにいかないんですよ。

糸井　そうすると、何かを測るための確固たるものさしがないのも同然になりますよね。それはすごく素敵なことでもあるけれども、使う本人としては、そのものさしには、不安もありませんか？

邱　自分のものさしそのものを疑うこともありますよ。ものさしなんて経験律でつくられたものが多いんですから。

㋑ 自分の居場所も変化しているのですか？

糸井　経験にないものは、測れないということにもなりますか？

邱　常識なんて経験によって生み出されたものです。自分が自分の常識で考えて「こうだ」と思っても、それを否定する現象が起これば、自分のものさしのほうが間違ってるかもしれないなあとぼくは思います。

糸井　なるほどなあ。そうすると、自分の居場所も、いつでもくるくる移動してるのでしょうか？

邱　世の中に変化があると、「自分のものさしが間違っていたかもしれない」といつも疑ってかかりますし、自分の価値観を絶えず修正していますので、自分の考え方を唯一のよりどころにはしておりません。

糸井　そうかあ。ということは、自分という確固としたものがあるというよりも、そんなものはないならないで当たり前だと考えているのでしょうか。

邱　人間には、そういういい加減なところがあるんです。

糸井　でも、そういっている邱さんのことを信頼してるかたがたくさんいるということは、邱さんの「自分なんかどこにいるかわからないよ」といいながらの動きの軌跡を見て、「こういう軌跡を持っている人だったら、信頼してつきあえるな」と思っているんじゃないかと思うんですよ。

Ⓠ「人に信用されている」を、いちばん重んじます

邱　**人を評価するときには、「人に信用されている」ということをいちばん重んじますよ。**お金があるかないかよりも、信用があるかないかのほうが、よっぽど大事だと思っています。

糸井　信用があるというのは、すごい財産ですよね。

邱　そういう面での尺度が変わることはあまりないと思っていますけれども。

糸井　信用される人とされない人って、明らかにいますでしょう？　信用できるできないって、しかもぼくたち割に早い時期に見抜きますよね。それはおたがいが間違っているのかもしれないけど。どこが大きく違うのかなあ？

人から信用されるには、何がいちばん大切だと思いますか。

邱　人間っていうのは、本来、人を信頼しないものなんですよ。

疑ってかかっているから、ちょっとでも前にいったことと違うことをいったら、その人を嘘つきだと思いますよね？

嘘をつくと、今度はいつ誰にどういう嘘をついたかを覚えていないといけない。その点真実はひとつしかないわけだから、嘘をつかないほうが、余計な記憶を必要としないとぼくは思います。

糸井　それ、ぼくも小さい頃に思ったことがあります。アリバイのようなものを、また違う嘘ででっち上げなければならなくなりますから。

邱　小さいことだけどぼくが大切にするのは、例えば人と約束した時間を守るとか……。いっぺん人にいったことは、自分が約束手形を発行したのと同じであって、それを実行できなければ自分の信用を失うと思っています。

糸井　ということは、約束できないことは、約束しないというクールさも、同時に必要だっていうわけですよね。

㋑お金が基準じゃ間違いをおこすだろうなあ

糸井　ただ、人は守れないことを約束してしまったり、その場で追い詰められるように、嘘をついてしまったりということの多い動物ですよね。

邱　この弱さってやっぱり「惑わし」だと思うんです。例えば自分を現実よりも大きいものに見てもらいたいと思ったときに、嘘をついたり、無理な約束をしてしまったりするというか。

糸井　そういう生き方をする人は、世の中にいっぱいいます。

邱　ほとんどが、そうかもしれない。

糸井　ですから、「これだけ財産を持っています」といわれるよりも、ちゃんと約束を守るかどうかのほうを重んじます。

邱　それは、お父さんやお母さんから学んだことですか？

糸井　……うーん。

邱　どこからそういう感じのものを学ぶんでしょう？

糸井　自分の親から教わったことといえば、さっきぼくがいったように、例えば

「いつもポケットの中にいくらお金があるかわかるような生活だけはしちゃいかん」とかそういうことでした。

糸井 それ、守ってらっしゃいましたよね。

邱 今も月賦ではものを買わないし。ぼくのロールスロイスも、ぜんぶ現金で買っています。財産価値のないものを、ローンで買ったことは一度もないですよ。

糸井 ローンのほうが得だとかいうロジックがあっても、そこは関係ないわけですね。

邱 仕事をやるためのお金を借りて月賦で返すことは、やってますけどね。

糸井 あ、そうかそうか。事業は別ですよね？

邱 事業の場合はしょうがないから利息払ってやってますけど。自分の消費のためにはそれをやらない。

糸井 確かに、ポケットの中にいくらあるかわかる人って、いますよね。見ていてつまらないですよね？ ポケットにいくらあるだのないだのと関係なく生きているやつのほうが、面白いよなあ。ぼくも小さいなりにそういう生き方をしてきたわけだけども。

「お金ないんですよ」といっても人はあると思いこんでいたり、本当にお金がないのにもかかわらず自分では「ある」と思っていたりもしました。思い違いをしていたのかもしれないけれども、ともかく、**何かをするときの基準がお金のところだけに集中していたら、きっと間違いをおこすだろうなあ**と思います。

邱さんが約束を重視するというのは、すごくわかる。

だって、逆境という場所に小さい頃からいるのに、そこで信用を失ったら、もうこれはまったくどうすることもできないということを、小さいながらもわかっていたんでしょうね。約束は守らないわ、逆境だわ、では、何もできないということが……。

㋑ 自分をわかることは、できるものでしょうか?

糸井　そういう意味で、話がまた煩悩に戻るのですが、例えばお金への欲望が「ある」ことはまったくおかしくないわけですね。お金があれば、できることも大きくなるから。

邱　でも、やりたいことがなくてもお金が欲しいというように、いつか逆転してしまう可能性が、ありますよね？　お金の強さと怖さは、そこにあると思うんです。だからこそお金は惑わしの最たるものであるし、邱さんがテーマとして扱ってきたのも、それだけ惑わせる力があるからだとも感じるからだと思いますし。

お金そのものを目的にするのと、お金を使ってできることのために求めるということはまったく意味が違っていると思います。

お金に向かうその二つの気持ちを分けるものは、何だと思いますか？

生まれた環境とか、そういうことがその人の金銭観を大きく左右しますよね。その人の生まれた環境によっては、お金がたくさんないと気のすまない人もいるし、わずかしか持てなくても別に構わないと思う人もいる。

ところが、お金に対してがつがつしてるからといって、お金持ちになるわけでもないんですよ。

ですから、ぼくはよく人に「あなたは大きな仕事がしたいのですか？　それとも大きな金が欲しいのですか？」と聞きます。仕事をやるということと、お金があるということとは、必ずしも一致しないことです。

大きな事業を手がけている人でお金をたくさん持っている人は、少ないんです。

もっと大きな仕事をやろうと思うと、もっとたくさんのお金が必要になりますから。その一方で、事業を何もやらなくても、たくさんお金を持っている人がいます。

大きな事業やって偉くなりたいのならそれはそれで方法がありますし、お金持ちでいたいという人もあるでしょう。事業もお金もなくてもいいから、気ラクな暮らしをしたいと思う人もいて……。

尺度はいろいろありますから。それぞれにあったお金とのつきあいかたのカルテがあって然るべきですね。

糸井　そうすると、**自分が何をしたくて、どういうことを思っているのかを、みんなはまず、知る必要があるということ**ですね。

邱　そうですよ。これからの生活はそういうところに絞られてきますね。

糸井　自分をわかることは、できるものなのでしょうか？

邱　わかうないやつも多いけど、だんだんわかるようになるんだと思いますよ。例えば、ぼくの場合は、自分の従業員に騒がれてストをされて、頭を抱えている人をたくさん見てきました。そういう目には遭いたくないなあと思ったので。

あんなことやられるくらいだったら、従業員はバス一台に乗れる程度にしておいて、みんなに払う給料は一流商社の人と負けないぐらい払う代わりに、それでももし従業員に文句をいわれるのなら、その日のうちに「辞めた」っていってシャッターを閉めてしまえるのがいちばんだと考えましたよ。

Ⓠ「お金を容れる器」の大きい人と小さい人がいます

邱 実際には、大事業家になりたくてもなれない人のほうが多いんだから、永遠に叶えられない夢ばかり追っていてもしかたがないですよ。
この間、香港で、生活補助費をもらいながら暮らしていて死んだ人の金庫をあけたら一億ドルのお金が入っていたことがありまして……。**生活保護を受けてまでもお金を貯めておいて、しかも亡くなるまで使わなかったとなると、お金を持っているということは、どういうことなのだろう？**　と考えさせられますよね。

一七億円の株を持ちながら死んだ人もいるし、**どんなに持っていても、死ぬまで使わなかったら、持っていなかったのと同じ**だと思いませんか。

お金というのは、明らかに**儲ける側と使う側の両方のバランスがとれていないとダメだと思うんですよ。**


糸井　その死んだ人たちも含めてだけど、お金に対する自分の欲望を発見することって、なかなか難しいと思うんです。

例えばぼくにしても「お金なんかいらないよ」とはいったことがないです。ところが、常に欲しいとはいっているけれども、どのくらい欲しいのかについて考えたことが、実は今までなかったんですよ。

自分は大金が欲しいのか、日々の暮らしを自由にのびのびさせたいのか。どちらも自分の心の中にはきっとあって、しぼれないでいるんだと思います。しぼりきれないからこそ判断ミスをするし。

どこまでお金と夢を欲しいのかの、自分の欲を知る方法は、ないのでしょうか？

邱　自分の器を見るのは、とても難しいです。
人間、誰でもうぬぼれというのがありますからね。

糸井 それを知る、鏡のような指標があるんでしょうか？

邱 いっぺんお金を持ってみるとわかりますよ。

例えば「お金を容《い》れる器」、これは確かにありますね。**でも、そのお金を容れる器は、その人の人格とは関係ないものなんです。**

「この人はお金を容れても容れてもまだ一杯にならない」という人もいれば、「入ったらすぐに溢れ出る」という人もいるということなんです。

お金の器の小さい人は、もし運よくどーんとお金が入ったとしても、銀座じゅうのホステスを連れてヨーロッパ旅行に行って、帰ってきたら、もとのもくあみですよ。それは、お金の使いみちを他に持っていない人なのです。

イ ぼくの「お金を容れる器」は、小さくないですか？

邱 手っ取り早い話がお金持ちになりたかったら、お金を儲けるより、お金を容れる器を大きくする努力をしたほうがいいと思うんです。

お金と縁があるようにするためには、やっぱりお金を大事にしないとダメですよね。こちらがお金を大事にすれば、向こうもこちらのふところを居心地のいいところと思ってくれますから。

糸井　お金を大事にすると、お金からも大事にされるんですか。

邱　そうすると、向こうも、こちらを向いてくれます。

糸井　お金を大事にするって、なかなか難しいことですね。

邱　小さいお金と思って馬鹿にしないことですよ。

糸井　難しいなあ……。

小さいお金を大事にすると、失う自由がたくさんありますよね。

……う一ん、そうすると、例えばぼくは、邱さんから見て、お金の入る器の小さい人に思われているような気がするんだけど、そうなんですか？

邱　そんなことありませんよ。

糸井　やっぱり自分ではわからないんです。ぼくはどうなのでしょうか？

例えば、それは一〇円が落ちていたら拾うようなかたちではお金を大事にすると思うんです。ただ、お金について支払うことや手に入れることを考えすぎるあまりに、いろいろな行動を一回ずつせき止めてしまうことがあるとしたら、だったらお金のことなんて一切考えたくないというのが、ぼくの理想だったんですよ。

お金のことを考えないで自由にふるまえるようになるためにはお金が必要なので、だから稼ぐ、という考えかたで今まできていまして……。まわりに比べると貯金もほとんどないし、家も持たないでやってきているんです。ぼくには、お金を容れておく器とか運とかセンスがないのかなあ。ぼくのお金の器は、小さいですか？

邱 小さいかどうかは、実際に容れてみないとわからないですよ。

糸井 なんだか、お金に関する大きなセンスに欠けている気がするんです。それに、お金のことに関して考えはじめたら、そちらばかりに思いが行ってしまいそうなのがイヤなので、考えることから逃げてきたところがありますから。

Ⓠ仕事が頂点に達する時間が長いほど、繁栄も長いです

邱 しばらくしたら、チャンスがきますよ。もう少しでいいことがあります。だいいち、お金に困っていなければ、それでいいんですよ。今やってることは、もう少し経ったら大きな道になりますよ。

糸井　そうですか。それいわれただけで生きられます。ちょっと自慢もできますからね（笑）。

「**邱さんだって、大丈夫っていってるんだよ**」って。

でも、肝心の自分にわかってないというところがね。

邱　こういうことをやればいいなあ、ああいうことをやればいいなあ、とぼくが思うことが、「イトイ新聞」には、だいたい出てくるんだもの。うまくいきますよ。

糸井　そういうものをやってるという自信はあるんです。

邱さんに、「事業は果樹園のようなものです。いくら整備して、木を植えてということをやっても、そこからの時間がかかる。コメは一年でできてしまうけれども、果樹園はもっと時間がかかる」といわれて、確かに、農業をやってらっしゃるかたも、そういう覚悟を持ってやってるんだなあとつくづく思わされましたよ。

今、スピードの経済っていわれている時代に、敢えて果樹園をやるのは、他がやらないからこそ、「絶対に、果樹園がいいんだ」と信じることのほうが大事なんだなあ。

リンゴの木を植えておきながら、苗木のうちにどうやって収穫しようかって思っちゃうと、きっとダメなんですよね。

邱　龍角散の社長だった藤井康男さんは、「一つの事業が頂点に達するまでにかかった時間が長ければ長いほど、ダメになる時間も長いんだ。自分たちは徳川時代からやってきたから、ダメになるのには、まだそうとう時間がかかる」といっていました。確かに真理の一面をついていますね。

糸井　生き延びてますよ。……世界中の人に龍角散を飲ませるのは無理かもしれないけれども、龍角散という会社をやっていくだけの売れかたはしているように見えますよね。

そういう事業に、ぼくは興味あるんですよ。「みんながワーッとこないからといって馬鹿にされているけれども実はいいもの」を探して「これって、実はいいんだよね」と紹介する役は、ぼくにとって、かなり大きな仕事だと思います。

イ　人のセンスが、ないがしろにされてきたけれど

糸井　実力以下に評価されている人をきちんといいといってあげる場所をつくりたいというのは、前から思ってきたことなんです。それと同じような気持ちで、例えば新人の人で「欠陥がある」「まだ未完成」といわれているような人たちが伸びる畑があったらいいなあと思います。

あとは、新人の逆で、「もうこの人は終わりだなあ」と人には思われているんだけれども、実力はピーク時以上にあって、人が目を向けなくなっただけだというもったいないものに、どうやって光を当てようか、とか。

それは、きっと、ぼくの社会的使命のような気がしています。

そして、社会的使命としてやれる自信は、あるんです。

ただ困るのが、「あなたはそこで何をやって食っていくの？」という質問に対して今まで答えられずにいたことなんです。「俺のようにやっていたら、よかったじゃない？」といえたほうが、本当の力になるだろうなあと感じるんです。お金の面でもきちんとやっていけていることが大事なのでしょう。

だから、お金の話も含めて、逃げずに考えてみたいと思いはじめているんです。

やっぱり、お金から逃げてものごとをやっていると、何というのかなあ、長

屋のオヤジが親切にしてあげているみたいなところに留まってしまって、やれることが少なくなってしまいますから。

邱　それじゃあ、やっぱりダメなんです。

糸井さんのやっていることの中には、センスがあるんですよ。だから、やっていることが、ただ経済的に成り立つ仕事とは違うと思うのです。

糸井　センスは、マニュアル化しにくいですもんね。

でもそれなりのマニュアルは、あるんですよ。

邱　ああ、そうか。確かに自分でも自分のマニュアルを、暮らしている中で発見してるもんなあ。それが楽しいわけで。

糸井　さっきの「人の器」の話に少しもどるんですけれども、例えば小さいネジを大きい場所で使ってみたり、大きいネジを小さい場所で使ったりすることができないように、やはり適材適所という言葉がありますよね？

今までのメディアでは、どうしても目立つところにだけ価値があるみたいな、過剰に鐘や太鼓を鳴らしていくようなところがあるから、みんながタレントになりたいとか社長になりたいとか思ってしまいます。だけども、それは失敗の数を増やすことにもなるだろうし、タレントや社長に向いていない

邱

彼や彼女にとっては、とてももったいないことがたくさんあるような気がしているんです。

何といえばいいかなあ……**小さいネジだけどもとても大切な仕事をする喜びだとか、大きいネジでがっちりしめておくことだとか、過剰に目立つだけではない、そういう喜びもある**ということを、今は、そろそろ若い人たちが知りたくなってきている時期なんじゃないかなあとぼくは感じています。

とにかくまぶしいところに向かって、みんなが電灯の近くの蛾のように集まってきている時代ではあるけれども、もっと「棲み分け」というか、「俺はこれに生きがいを感じているんだよなあ」という感覚が人によってばらければばらけるほどに、きっと、社会は豊かになっていくとぼくは考えているんですね。

そういうようなことになっていくために必要なことって、何なんでしょう？

ぼくとしては、やはりそこで「自分を知る」というところに戻ってしまうのですが、なかなか知ることができないわけで。

そういう人たちが、おたがいの情報の交換をできる場所が、必要なんじゃないですか？

糸井　なるほど。

邱　情報を公開する場所といえば、例えばデパートに買いものに行くのと、東急ハンズに行くのとではだいぶ違っていますよね？　東急ハンズでは、どんなネジ一本でも売っている。たった一本のネジを探すために、工具屋さんを一日じゅう歩かなきゃいけないようなものでも置いてあります。その代わり……。

糸井　それは、探し賃や情報料ですよね？

邱　そうなんですよ。そういう媒体が、インターネットにはなかったわけで……。

糸井　糸井さんにしばらく「イトイ新聞」を続けているとうまくいくよ、とぼくがいうのは、つまり、そういう場所になれば、ということですから。

ああ、今ものすごく見えたような気がしました。いろいろと無意識にやっていたけれども、ぼくのやりたいことを考えると、つまりはそういうことですよね。

今までは、信頼のおける情報のやりとりができてなかったから、だまされるかもしれないと思いつつも、みんながお金に飛びついてみたり、大きい会社に入ってみようとしてしまっていたんですから……。

そうか、信頼できる情報を集めればいいわけか。最近ぼくはよく引用するのですが、これからはますます、「正直は最大の戦略である」という、信頼できる関係を目指すための山岸俊男さんの理論が利いてくるような気がします。

邱　**糸井さんは、人間のセンスを尊重したやりかたを、しさえすればいいのです。**

糸井　うわあ。それって、男子一生の仕事になりますよね。

人間にはセンスっていうものがあることを、みんながないがしろにしていて、ぼくはそれに対してずっと怒ってきましたもん。なめんなよ、といってきたんだけど、それがぼくにとっての逆境だったわけか。

邱　人間は誰でもセンスというものを持って、それを大事にしたがっているのに、産業界はそれに気がつこうともしなかったのですから。

イ 座敷牢の逆を実践されてますよね

糸井 それぞれの人は「私のここの部分をほめて」と思っているし、それに「あなた、そこがいいね」といわれたことで、そのあとに伸びてくとか……。ああ、やる気が出てきた。

邱 答えが出たわけじゃないですけれども、これからやっていく上で、ものすごく色がきれいなイメージになりました。うまくいったら、邱さんにお礼に行かなければならないような話が何度も出てきました。うれしいですよね。

糸井 「ほぼ日」はそういう人たちの交流センターになるんですよ。

そうなると、やっぱりネット上だけではなくて、リアルワールドとどうつながるかという実験が、これからはたくさん必要になるでしょうね。今日、ぼくは次のような原稿を書いてここにきたんです。

「外に出る」ということは、とても大事なことだ。

いまは、インターネットがまだもの珍しいせいで、

「あなたは、お部屋で、いながらにして」というような
〝ご親切〟なセールストークばかりが流れてくる。
しかしさぁ、これって極端なかたちで言えば、
「幽閉」「監禁」「座敷牢」じゃないのか？
だって、「自由」ってことがあるのはちがうけれど、
やってることは、同じになってると思うんだよね。
なんでもかんでも、メディアの端末から流れてきて、
なんでもかんでも、その端末で返していく。
これがインタラクティブの理想か？
これが、便利で未来的な豊かさか？
自分自身も、外に出る機会がとても少なくなってるけど、
それをいいことだとは思えないぜ。
「ほぼ日」も、インターネットメディアだけれど、
これを読んでいると人に会いたくなったり、
外に出かけたくなったり、現実の景色を見たくなったり、
そういうインターネットにしたいなぁ。

毎日熱心に読んでくれる人がいるのは、
むろんうれしいんだけど、
これさえあれば、なんてことあるわけないし、
とにかく外に出たくなるような、
いきいきしたリアルな世界を想像させるようなメディアに、
どうやったらできるか、一所懸命に考えていきます。
そういえば、「ほぼ日」読者には、世間で言う
「ひきこもり」の人もすっごく多いんだ。
だけど、そういう人たちが
「外に出るきっかけになった」っていうメールも、
けっこうもらっているんだよね。うれしいよー、ほんと。

「インターネットで何でもできる」と、ぜんぶをあの箱の中で始末させよう
とすると、部屋の中に閉じこめることばかりに向かいがちなんだけれども、
でも、外に出ないで人間が幸せなはずがない、と書きました。
自分で選んだ座敷牢の中にみんなが閉じこもっているんだとしたら、インタ

ーネットは人間を不幸にすると思う。ぼくは「ほぼ日刊イトイ新聞」を読んでいる人が、外に出たくなるようなサイトをつくりたい、と書いたんですけれど、それは、あっていますね。ぜんぶをインターネットの中でできてしまうとしたら、それは企業による監禁に他ならないわけですから。

邱　邱さんは外の人や新しい人ととても頻繁にお会いになっているでしょう？　あれは座敷牢の逆を実践されていますよね。

糸井　寺山修司、家出の勧めですよ。書を捨てよ、街へ出よう、ですか。前に邱さんは「街の道を一通り散歩するだけで、商売のネタから何からが、ぜんぶそこに書いてあるようなものなんです」って。あれですよねえ。そういう外で何かを感じとる能力が、全体に失われてきてるんでしょうね。

邱　今までは、みんな、制服の似あう人間ばかりを養成してきました。でもこれからは、その逆の方向に動きつつありますよ。

糸井　**答えを早く知りたがるということが、やはり答え以外のものを見えにくくさせているんだろうなあ。**

邱　人が会社から出ていく流れになっているから、そこにはそういう人材を欲しいという社会の需要もあるわけです。
そこをうまくつなぎあわすことができれば、もうすぐにそれだけでも仕事にはなるんですよ。糸井さんはインターネットでお金を無限に儲けなければいけない理由はないから、**じょうずに品のあるものをつくっていけば、もうそれだけでうまくいくはずです。**

糸井　大きなお金をつかむものなのかはわかりませんけれども、「大きい仕事」になることは確かですね。

邱　ええ、なりますよ。

糸井　そういうつもりでやっていれば、楽しいですよ。
別にふだんから暗くしていたわけでもないんだけど、気にはなっていましたから。
やっぱり、社会の現在の流れと自分のやっていることは、一生マッチしないかもしれないとか思わざるをえなかったら、ものすごく寂しいことですもんね。今日はお会いして、お金のことについてもきちんと聞けて、先が明るくなりました。

第7章

未来のことを経験している人は、誰もいないけど

Ⓠ人はもともと、孤独なものでしょう

糸井 最近、「素手でつかむ」という言葉がとても気になっていて、矢沢永吉の本を並行してつくっているときにも、帯に「素手でつかんだ幸福論」と入れました。

ぼくが非常に尊敬している経営者の人も「ぼくは素手でいきます」という言葉を使っていたし、かっこいい人は、みんなおんなじだなあ、と感じさせられていたんです。

邱さんもご自分の道を切りひらくときには、手袋でもなくマジックハンドでもなく、「素手」できた人なんだろうと思います。火傷もするし怪我もするけれど、素手ということは、すごいことですよね……。

素手というのは、つまり、バーチャルではないわけです。バーチャルが発展すればするほど、最終的にはリアルに落としこんでいくことになる、ということをわかっていないと、バーチャルは、精神のバブルで終わってしまうように思います。

素手で切りひらいてきた人は、マニュアル通りだとつまらないと思っていますよね。マニュアル通りのほうがラクなのに、それをやらないくそまじめなところが、どこか根っこにあるような気がします。

糸井　いくら邱さんが鷹揚にかまえていてユーモラスでも、どこかで、自分ひとりでいる時間はものすごく孤独でくそまじめなところがあるというように。

邱　ぼくは、ひとりになっている時間が、とても多いんです。

それは、ある意味ではいちばん重要な時間でもあると思います。ひとりのときに鍛錬したり、自分の中でテストしたり、さんざん考えたことを、あとで外に出てぶつけることにもなるだろうし。何か事件が起こればまたひとりになって考え直して、というくりかえしなのかなあ。

糸井　自分は、孤独だ、とお考えになることは、ありますか？

邱　**人はもともと、孤独なものでしょう。**

ぼくは人と会っても自分ひとりのときでも、考えることは同じです。思考するということには、休みがないですから。

糸井　そこで考えることはちっとも苦痛ではないんだろうな。苦しいときもあるけれども、楽しいという感じだろうと思います。

イ 自分を快く思わない人に、心が痛みませんか？

糸井 邱さんを快く思わない人に対して、心が痛んだりはしないですか？

邱 別に痛まないですよ。違う世界の人と思ってるから。

糸井 たとえば事業でも作家としてでも、何か敵が攻撃をしかけてきたとき、邱さんはどうしているんですか？　流しちゃうんですか？

邱 気にしないです。

糸井 しないんですか、やっぱり流すんですか。それは、戦略的にそっちのほうがいいからなのでしょうか？　それともそういう体質だからなのですか？

邱 今までにぼくをだました人は、いっぱいいるんですよ。ぼくは事業では失敗しないけれど、失敗は、必ず人にだまされて起きるんです。

ただ、そういうことが起きたときでも、ぼくはその人をとことん追いつめることは、ありません。

ただ、「**君の黄金時代は、ぼくと一緒にやっていたときだったね。そのことがわかるときがきますよ**」といって、それでおしまいです。

糸井　それはつまり、そんなところを気にして自分のもったいない時間を使うより、やりたいことがあるんだということですか？

邱　それもあるでしょうけど、それよりはむしろ、人を追いつめないという生き方の流儀ですね。

糸井　それも矢沢永吉は、同じことをいうんですよ。喧嘩するときに、いくら自分が強くても、**ドアに鍵をかけて殴っちゃいけない**っていうんです。逃げ場をつくってやらないと、かえってアブナイ。追いつめたら、両方にいいことは何もないんですね。「両方にいいことがない」といういいかたが、大事なんだろうなあ。だから必ずドアを開けておいて、相手が逃げられるように、逃げ道をつくっておいて。

邱　必ず相手に道をつけてあげますね。ぼくも。お金をだまされることがいちばん多いけど、まあぼくのお金だから、いいんですよ。他の人はみんな呆れちゃって「何で追及しないのか」といいますけれども、ぼくはお金なんていうのは、自分の手にあるか人の手にあるかだけのことだから「別にいいや」と思っています。

Ⓠ人を信用できなかったら、仕事は何もできません

糸井 それが、まさに素手でつかんできた人の考えかたなんですよ……。「完膚なきまでやっつける」とかいうことって、実は、いいことは何もないですから。

若いときには、そういうことをわからないから、つい追いつめたくなっちゃうんですよね。

でも、邱さんだって、人にはもっとぎらぎらしているように見られていた時代には、追いつめたくはなかったですか？

邱 みんなには、今のほうが優しい顔をしてるといわれるけどその点は今も昔も変わりはありません。

糸井 ああ、それもおんなじだ。永ちゃんにもどこか怖い時代があって……でも、自分のつもりとしては、同じようにふるまっているんだ。

だまされたことで臆病になって、人が信用できなくなったことはありますか？

邱　相手が違うと、また元に戻ってしまいますね。**人を信用しなかったら仕事ができないですから。**

糸井　ああ、そうか……はっきりとそうですね。

邱　裏切られたりだまされたりすることはあるけれど、ぼくは基本的に「人を信用することによってしか仕事はできない」と思っています。だから「本当によく懲りないね」といわれるんですけれども。

糸井　小説のなかに出てくる大金持ちが「人に心を開かない人」としてよく描かれているのは、あれはお金持ちになったことがない小説家が考えてるからなんですね。

つまり、**事業は、動いていないと必ず潰れちゃうわけだから、どんなに大金持ちのおじいさんでも、どっかのところで心を開かないままでは、何も実行できないはず**ですもんね。

小説の設定としては、まわりにすべてを任せたおじいさんが自分は引退しているみたいなのもよくあるけれども、そんなはずも、ないわけで。動きを止めちゃった人は、実業の世界では生きていないのですから。このリアリズムは、小説家には想像できないんだろうなあ。確かに、人を信用しなければ、何にも仕事をできないや。

イ 邱さんは、どういうふうに未来を見ていますか?

糸井 邱さんは、いつでもある種の未来予測の特集のときには呼ばれる方で、まるで占い師のように「当てる人」と思われているところがあるんですけれども、たぶん、占いのようなやりかたでは未来を見ていないと思うんですよ。邱さんは、どういうふうに未来を見ていますか?

邱 未来?

糸井 例えばぼくは、未来予測という話題があると、必ずいつでも、現在のなかに未来がはじまっているんだと考えるほうなんですけども、邱さんは?

邱 昨日の続きの今日で、今日の続きの明日ですから。だから、未来というのは、そんなに「まったく見えないもの」ではないんですよね。

糸井 やっぱり同じですか。

邱 車の中から景色を見ていてもわかるように、田圃から突然砂漠になることはないんです。砂漠になる前のところに、次の兆しがあるわけですから……今日を見ていれば明日が見えるんです。必ずそれは、今日の続きにあるんです。

糸井　つまり過去にしっぽをつけてる現在と、未来につかまっている現在との二つがあって、「これは過去につながってるものかな？」「未来につながってるものかな？」と漠然と見ているだけでも、もうすでに、未来の話をしていることになるんですよね。あ、それでは未来を見る目を曇らせるものは、何だとお考えですか？

邱　**過去に固執しすぎること**だと思います。過去から続いている**人間の常識なんていうものは、経験のもたらしたものに過ぎないんです。未来を経験してる人はひとりもいない**んですから、過去の目を捨て切れなければ、未来が見えなくなるということはあると思います。

糸井　邱さんは、未来の話をとっても生き生きと語ると同時に、過去というか、遠い昔のところにもう一つ目を持ってらっしゃいますよね。この両サイドを見る見方みたいなのは、何なんでしょう？
未来の話をしているはずで、過去の目を捨て切っているはずなのに、大昔の

人がいったことと同じじゃないかというふうに循環しているようにも思えるんですけれども……。

邱　それはもう、人間の愚かさは、変わらんもの。

糸井　……ああ。その一言だよなあ。

（おわり）

邱永漢より、おしまいに。

糸井重里さんとはずいぶん昔から面識があって、私の誕生日にきていただいたこともありました。嵐山光三郎、沢木耕太郎、山口文憲、もず唱平、小倉エージといった私とかなり年齢がかけ離れているけれど、どこかに共通点のある人たちのひとりでしたが、何とはなしにクサリが切れてお互いにしばらくご無沙汰をしていました。

それが久しぶりに旧交を温めるようになったのは、ある婦人雑誌で糸井さんの主催していた連載対談に、中村うさぎさんという浪費家代表と一緒に顔合わせをしたのがきっかけでした。席上、糸井さんは「ずいぶん、昔、まだバブルになる前のことですが、邱さんにお金が欲しいという話をしたら、それなら土地をお買いなさいといわれたことがあります。土地を買えといったってそんな大金はないものといったら、頭金さえあれば銀行がお金を貸してくれますよ、と邱さんはおっしゃいました。土地を買うとしたら、どんな土地を買えばいいのですかとぼくがきいたら、邱さん、何と答えたか覚えていますか？」ときくから、「いや、ぜんぜん、覚えていません」と首を横に振ると、糸井さんはいたずらっぽい表情をして「ムードのあるところを買えばいいんですよと答えたんですよ。ぼくはとびあがるほどびっくりしました。ぼくは広告屋ですが、そんな答えは予想もしていなかったんです。どこどこのどんな土地がいいとか、住宅地にするか、商業用地にするか、とか、そんな答えがかえってくると思っていたのです。それがムードとおっしゃったから、とうとう土地こそ買いませんでしたが、友だちという友だちにその話をしました」。

私としてはぜんぜん、記憶にすら残っていないことですが、そのとき思っていたことを包みかくさずに喋ってしまう性《たち》ですから、あるいはその通りのことを口にしたかもしれません。

私がいちばんはじめに買ったビル用地は渋谷の東急本社の隣、次が原宿の表参道の四つ角、そしていちばんはじめに買ったマンションは渋谷の公園通りの西武百貨店の隣でした。自分の現在のオフィスも宮益坂を登りつめた位置にあるし、自分の住んでいる家は代官山の駅のすぐ近くです。いずれも私が目をつけたときはまだ人通りの少ない淋しい場所でしたが、今では東京ではムードで一、二を競う若者の町になっています。

私は「お金儲けの神様」だとか、「お金の先生」だとかいろいろいわれていますが、作家を本職にして人間の観察をしてきましたので、そもそもの出発点からして、ムードとか、センスとかを抜きにして人間の生活や社会現象を語る立場にはいませんでした。株のこともずいぶんとりあげて数々のベスト・セラーズを出してきましたが、いつも人間の心理という戸口から入る習慣が身についてこまっています。そういう目で見ていますから、インターネットと取り組む糸井さんの姿勢も、手にとって見るようにわかってしまいます。私自身がちょうどインターネットの勉強をする必要を感じていましたので、糸井さんの説明をきくと、すぐその場で目の前にとまっていた「イトイ新聞」という糸井さんの運転する乗物にとびのってしまったのです。もし自分がアメリカの西部に生まれていたら、きっと早射ちのジョーンになっていただろうといつもいっている私のことですから、一年もたたないうちに「イトイ新聞」に書いた『もしもしQさんQさんよ』だけでもう二冊の単行本になって世の中に出ています。

以来、糸井さんの早駕籠《はやかご》の片棒くらいは担ぐ気になっているので、PHP研究所から対談の話を持ちこまれたときも二つ返事で承知しました。対談は二日にわたってやりましたが、読みかえしてみると、どう見ても私のほうが一方的に喋りすぎですね。調子に乗って手の内まで見せてしまう札の打ち方ですが、はたして糸井さんが相槌を打ってくれたほど若い人たちに理解してもらえるかどうか。

ただ学者先生とか経済の専門家たちとの対談と違って、糸井さんとはセンスとかムードで一脈も二脈も相通ずるところがあるので、接点も違えば、話題もまるで違います。アプローチのしかたにも従来と違った新鮮さがありました。もし面白いと思っていただけるとしたら、それはセンスとか、フレキシビリティとか、サイコロジーとか、要するに心の動きが接点になった物の考え方をしていることでしょう。

お金はすべての物と物、もしくは、人と人、あるいは人と物をつなぐ接点ですが、インターネットにもそうした新しい接点が考えられます。その接点をつなぐのに、センスという今まで無視されてきた新しい接着剤があれば、多くの人々がそこを掛け橋にして行ったりきたりするようになるでしょう。センスなど不安定で頼りにならないと思われがちですが、この本は「イトイ新聞」のそうした危うそうで折れそうで、実はしなやかなしたたかさのサンプルみたいなところがあります。幸いにも共感を覚えていただけるようでしたら、今日からでも早速「イトイ新聞」をごらんになって下さい。面白くても、面白くなくてもお代はタダです。ハイ。

邱永漢

どんな旅にも必要なもの～文庫版あとがきにかえて～

この本が、単行本として出版されたときから、もう一昔ぶん以上の時間が経った。

そのときの、ぼくの気持ちや、その時期に持っていたお金というものへの興味、また、畏れなどについては、本のなかでさんざん語られているので、そちらを読んでもらえたらいいと思う。

いま、こうして、文庫化されるときに、「お金」についての原稿を依頼されたとしたら、ぼくは、どんなことを書くのだろうかと想像してみた。そして、書いてみることにした。

以下、その文章。


どんな旅に出るときにも、路銀というものが必要になる。

路銀、つまり、旅をするのに必要な金のことだ。

少なくても旅はできるし、多ければ多いでできる。

知恵だとか、我慢だとか、人の情けなどの分量が、
たっぷり必要にはなるだろうけれど、
最小の路銀でも旅はできるだろう。
でも、必要な金がないという旅は、
無駄なまでに厳しいものになるにちがいない。

金のことなんて、と簡単に言った人間は、
路銀もなしで旅をすると言っているようなものだ。
ほんとうにその気があるのか。

もうひとつ、旅に必要なものが、動機だ。
あてもなく彷徨いたいというのも動機だろうし、
どこから逃げなくてはならないのも動機で、
共に旅するためのだれかといたいというのも、動機だ。
動機というものが、かけらもなかったら
旅はしていないだろう。

ぼくは、いまさら何が言いたかったのかといえば、
金と動機は、水と空気のように必要だということだ。
ほしいだの、いらないだのという前に、
その必要について分かっていなくてはならなかった。
金も動機も、なんだかよく分からないときには、
旅になんか出られなかったのだと思う。

いま、ぼくは、
あぶなっかしくて、ちっぽけな旅の途中で、
金と動機だけは、なくてはならぬということを、
やっと分かったらしいのである。
旅に出る朝に、邱永漢さんという先達に、
目の前の景色がどういうものであるのか、
親切に教えていただいたのは、
ほんとうにありがたいことだった。

もうひとつ、ほんとうは、
「動機」について考えたりする本を、
つくっておくべきだったのかもしれないと思った。

そうか、ぼくはいつのまにか、「お金」を考えることから逃げまわるのではなく、路銀としての「お金」を持って旅をしているのだった。
自分の感じていること、考えていることは、なかなか自分にはつかめないものだ。文庫化を機に、こう思っている自分に会えたことは、とてもうれしいことだった。

邱永漢さんをはじめ、この本にかかわってくれたたくさんの方々、前の本を読んでくださった方たち、そしてこの本に出会って読んでくれた方に、ぼくのうれしさについてのお礼を申しあげたい。

二〇一一年の春になるころ

糸井重里

［構成］木村俊介
［編集協力］三島邦弘（ミシマ社）

著者紹介

糸井重里（いとい　しげさと）

1948年群馬県生まれ。法政大学文学部中退。コピーライターとして活躍しながら、ゲーム製作、作詞、文筆（詩・小説・エッセイ）などの創作活動を行う。1979年東京糸井重里事務所設立。
1998年ホームページ「ほぼ日刊イトイ新聞」（http://www.1101.com/）を開設。2011年２月現在、１日のアクセス数は約150万件。
著書に『インターネット的』（ＰＨＰ新書）、『経験を盗め』（中公文庫）、『黄昏』（南伸坊氏との共著、東京糸井重里事務所）など多数。最新刊は『夜は、待っている。』『ボールのようなことば。』『さよならペンギン』（以上、東京糸井重里事務所）。

邱　永漢（きゅう　えいかん）

©村越将浩

1924年３月台湾台南市生まれ。1945年東京大学経済学部卒業、1946年～54年台湾・香港にて銀行員・貿易商など国際舞台の第一線で活躍。1954年より日本に住む。1955年小説「香港」にて第34回直木賞を受賞。以来、作家・経済評論家・経営コンサルタントとして知名度が高く、また自分でも多数の会社を運営している。現在、ｗｅｂサイト「ハイQ」を主宰。（http://www.9393.co.jp）。
『Ｑｂｏｏｋｓ（全25巻）』（日本経済新聞社）、『西遊記（全８巻）』（中公文庫）、『邱永漢ベスト・シリーズ（全50巻）』（実業之日本社）など、著書は約450冊にのぼる。近著に『アジアの時代を予言して20年』『もっと中国の研究を』『人民元高に負けるな、中国株』『中国にこれだけのカントリー・リスク』（以上、グラフ社）、『マネーゲーム敗れたり』『損をして覚える株式投資』『起業の着眼点』『東京が駄目なら上海があるさ』『相続対策できましたか』（以上、ＰＨＰ研究所）、『非居住者のすすめ』（中央公論新社）、『お金持ちになれる人』（筑摩書房）などがある。2012年５月16日逝去。

本書は、2001年３月にＰＨＰ研究所より刊行された作品を、加筆・修正したものです。

PHP文庫　お金をちゃんと考えることから
逃げまわっていたぼくらへ

2011年4月18日　第1版第1刷
2014年12月17日　第1版第3刷

著者	糸井重里 邱永漢
発行者	小林成彦
発行所	株式会社PHP研究所

東京本部　〒102-8331　千代田区一番町21
文庫出版部　☎03-3239-6259(編集)
普及一部　☎03-3239-6233(販売)
京都本部　〒601-8411　京都市南区西九条北ノ内町11

PHP INTERFACE　http://www.php.co.jp/

組版	株式会社PHPエディターズ・グループ
印刷所 製本所	凸版印刷株式会社

ISBN978-4-569-67624-1